D1012366

BOUCHE BÉE, TOUT OUÏE

Du même auteur :

Journal d'un apprenti pervers, Éditions Jean-Claude Lattès, 2007.

www.editions-jclattes.fr

Alex Taylor

BOUCHE BÉE, TOUT OUÏE

Comment tomber amoureux des langues ?

JC Lattès

ISBN : 978-2-7096-3069-6

© 2010, Éditions Jean-Claude Lattès.
Première édition mars 2010.

Sommaire

Le silence des anges

Peut-on *aimer* une langue ? Je pose la question très sérieusement, d'autant qu'« aimer » ce n'est pas une mince affaire. Surtout, si je puis me permettre, dans votre langue !

Vous *aimez* vos amants, vos enfants et vos Dieux, mais vous *aimez* également vos RTT, vos soldes et vos reblochons. Pour avoir connu certains d'entre vous intimement, pour avoir visité vos hauts lieux spirituels et pour vous avoir vus déguster vos fromages à pâte molle, je crois pouvoir affirmer, sans être désagréable, que vous lui en demandez parfois beaucoup, à ce seul et unique verbe !

En y pensant, c'est bien le seul verbe de la langue française que vous n'avez pas trop envie de faire « bien ». Dites « je t'aime » et vous voilà précipités dans un lit beaucoup plus rapidement qu'avec le parcimonieux « je t'aime *bien* ».

Puisqu'on y est, pourquoi nous, qui parlons français ou anglais, sommes-nous les seuls à *tomber* amoureux ? Au moins nous, les Britanniques, nous n'allons pas jusqu'à « *tomber* enceinte » ! Nous voilà dans de beaux draps, linguistiques du moins…

En ce qui concerne votre langue j'ai « chuté » à l'âge de onze ans. Je suis resté bouche bée le jour où, lors notre premier cours de français, Mlle Bridgewater a écrit sur le tableau le mot « oui ». Nous savions déjà que ce mot signifiait *yes* mais j'étais secoué, époustouflé même par l'idée que ce mot pouvait s'écrire autrement que « nous », *we*, le faisions déjà en anglais. C'était mon premier choc linguistique. Mon ébahissement demeure intact jusqu'à aujourd'hui où j'apprends que ce même son signifie « obtenir » en gaélique, et que nos amis irlandais l'écrivent, tenez-vous bien : *bhfaighfidh*.

C'était le temps de mes tout premiers émois linguistiques. Mon banal *pen* était tellement plus joli transformée en *plume,* laquelle montait et descendait amoureusement sur les deux « e » de l'élève que j'étais… Qu'est-ce que c'était jouissif lorsqu'elle caressait le galbe de vos formes verbales surtout dans leurs habits les plus provocateurs !

Même quarante ans après, je demeure résolument épris de votre langue. Je trouve délicieusement illogique que vous disiez « le onze » mais pas « le oncle ». J'aime vos baguettes non seulement parce qu'elles sont plus croustillantes que les nôtres, mais en raison, du moins si j'en crois mon paquet de beurre fortifié à l'Oméga 3, de leur grande « tartinabilité ». Je suis ému de constater que je peux être *solidaire* et ressentir de la *tendresse,* même si, de l'autre côté des falaises blanches de Douvres, personne n'a jamais cru nécessaire de « nommer » ces sentiments... Les langues m'ont souvent ouvert les yeux, bien plus que la bouche !

J'ai eu bien d'autres amants par la suite. Je me régale lorsque j'apprends que les Italiens réservent un mot aussi invraisemblable que *precipitevolissimevolmente* pour les moments où il y a extrême urgence ! Je jubile en apprenant qu'une femme espagnole enceinte est *embarazada* ou que les Néerlandais ne font pas de « sourires » mais des *glimlach* qui sont littéralement de lumineux *rires silencieux.* Je jouis lorsque mes amis berlinois félicitent tous ceux qui, en dépit de leurs petits moyens, arrivent à enquiquiner les grands de ce monde car : *Kleinvieh macht auch Mist...* « Le petit bétail fait du fumier, lui aussi ! »

L'idée, sans doute aussi le besoin, d'écrire ce livre me sont venus lors d'un dîner parisien particulièrement animé. À un moment la conversation s'arrêta brusquement. « Tiens, un ange passe... » lança un des convives. Pour combler ce *coït interruptus* dans nos échanges, quelqu'un me demanda la traduction de cette expression en anglais. Quelques secondes de panique, puis me voilà obligé d'admettre que l'on ne le dit pas dans ma langue maternelle. Stupeur ! Les anges ne fréquenteraient-ils pas les anglophones lorsque nous n'avons plus rien à nous dire ? Les convives en furent tout cois...

Ce silence m'obsède depuis. Avec comme seules armes mes dictionnaires fripés et quelques échos de choses dites ici et là, je m'aventure dans ce no man's land brumeux le long de nos frontières sémantiques. J'y croise quelques apatrides linguistiques, des personnes multilingues qui me racontent leur histoire et surtout leurs « mots ». En avançant dans ce monde crépusculaire de *l'entre-langues*, je suis à nouveau ébahi par les quelques langues que je pensais bien connaître, époustouflé par toutes celles que j'ignorais...

Saviez-vous par exemple que la langue la plus parlée au monde n'a pas de mots ni pour « oui » ni pour « non » ? Saviez-vous que la plupart des langues n'ont pas de verbes pour « être » ou

« avoir » ? Que de vastes pans de l'humanité se débrouillent très bien sans les fioritures extravagantes que sont nos articles « le », « la », « un » et « une » qui ponctuent la moindre de nos phrases ? Comment font-ils ?

Imaginiez-vous qu'un pays pourtant très industrialisé ne considère pas « l'eau » de la même façon que nous et propose jusqu'à 18 façons de dire « je » ? Vous doutiez-vous que le fait d'avoir certains mots *masculins* et d'autres *féminins* changent notre attitude vis-à-vis des objets ainsi désignés ? Saviez-vous que la présence d'un seul « s » a récemment coûté 7 billions de dollars ou que nos bébés « désapprennent » les langues en grandissant ?

Vous doutiez-vous que, contrairement aux idées reçues, le français est une langue infiniment plus drôle que l'anglais ? Saviez-vous que notre sentiment de culpabilité religieuse et l'assujettissement de la femme depuis des siècles seraient le résultat d'une erreur dans la traduction des termes bibliques ? Qu'il y a des langues qui ne permettent pas de « tomber amoureux » puisque le terme n'existe pas ?

Je ne le savais pas ! Pourtant j'ai consacré ma vie aux langues. J'en ai étudié plusieurs, je les ai enseignées avant de faire une carrière de journaliste européen où je me suis rendu compte que la vérité est souvent plus *vraie* en VO. Je vis ces langues au jour le jour, exilé que je suis depuis trente ans sur ce continent avec son somptueux brouhaha linguistique car, comme le soupçonnait si bien ma grand-mère anglaise, « là-bas, *on parle étranger* » !

Il a fallu même que j'attende ma cinquantième année et que j'écrive un livre consacré à mes frasques sexuelles, *Journal d'un apprenti pervers*, pour comprendre à quel point les langues étaient pour moi comme un passeport, une issue de secours. Ce petit garçon des Cornouailles anglaises a compris à l'âge de sept ans non seulement qu'il était gay, mais qu'il ne pouvait surtout le dire à personne de son entourage. Dieu seul sait comment il a intégré – de la façon la plus inconsciente qui soit – qu'il fallait s'accrocher à conjuguer sans cesse des pages entières de verbes irréguliers afin de pouvoir un jour s'échapper d'un monde qui ne le comprenait pas.

Depuis, je voue un amour sans bornes à ces mêmes langues ! J'ai abandonné la « perversité » à laquelle me prédisposait mon enfance si britannique pour apprendre à aimer et ceci dans toutes les langues de notre éblouissant continent. J'ai d'abord enseigné ma langue dans un large échantillon de vos établissements scolaires. Ensuite, lorsque je faisais la revue de presse européenne chaque matin sur l'une de vos chaînes de radio publiques, je regardais parfois mes doigts tachés, trempés dans l'encre des premiers journaux arrivés de Berlin, de Bruxelles et de Barcelone, portant les traces d'innombrables mots appris par cœur dans mes manuels d'antan.

C'est en écrivant ce livre que j'ai fait ces découvertes. Je suis resté tout ouïe, j'ai souvent été bouche bée et je suis plus amoureux que jamais. Je crois même avoir trouvé, au moment de terminer ce livre, la raison pour laquelle les anges font leur étrange irruption au beau milieu de vos silences.

Alexandra

« Les mots sont... radioactifs ! » proclame Alexandra, en poignardant son maki d'un coup de baguette. Nous déjeunons dans un restaurant parisien, quelque part au-dessus du Pont-Neuf. Elle trempe ensuite son morceau dans la soy, juste ce qu'il faut. En observant la façon dont elle le porte à sa bouche, je commence à me douter de l'extrême précision avec laquelle ma compagne de table sélectionne le moindre de ses mots. « Radio-actifs ! » répète-t-elle.

Alexandra est quadrilingue et travaille comme interprète dans des conventions internationales. Elle est née à Washington. Son père était un diplomate américain, ce qui lui permit de vivre dans son enfance de nombreuses pérégrinations linguistiques. Contrairement à quelqu'un comme moi pour lequel les langues étaient comme des formules magiques apprises dans des manuels scolaires, Alexandra les apprit, elle, sur le *tas*.

Sa mère, résolument russe, refusait de lui parler autrement que dans cette langue. « Mes premiers souvenirs, ce sont les comptines pour enfants. Le russe, tout comme l'allemand et l'anglais, met le paquet sur la poésie pour les tout jeunes. » Tout d'un coup son regard erre au-delà des toits de la rive gauche de l'autre côté du pont. Alexandra se met à scander une chanson dont l'essentiel m'échappe mais où il est apparemment question de crêpes, *ladouchki*, et de quelques grand-mères, *babouchki*, dont l'affolement lors de la confection de cette spécialité devient vite perceptible, vu les larges gestes de ma convive.

Originaire de Saint-Pétersbourg, la babouchka maternelle d'Alexandra était la plus parfaite des snobs en linguistique. « Je l'ai adorée pour cela. Elle n'acceptait que la prononciation et la grammaire les plus exactes. Elle me faisait réciter des poèmes de Pouchkine. Elle me disait que les pommes et les fraises russes avaient un arôme que l'on ne trouve nulle part ailleurs. » Elle lui parlait de la journée de la Foi, de l'Espoir et de l'Amour, *Vera*, *Nadezhda* and *Lyubov*, fête du vieux Saint-Pétersbourg où chacun s'envoyait des petits bouquets de fleurs. « Ces deux femmes ne m'enseignaient de la Russie que tout ce qui était noble et beau, ce qui explique mon amour pour cette langue dans tout ce qu'elle a de plus exquis. »

Son père lui parlait anglais, *of course,* puis c'était tout *natürlich* qu'elle apprit l'allemand dans un Kindergarten à Berlin. Le français vint le plus naturellement du monde quand elle avait neuf ans, lorsque la famille débarqua à Paris. Au début de l'année scolaire elle ne parlait pas un mot, ce qui ne l'empêcha pas l'été suivant d'être la première de sa classe.

Je lui demande si le russe, de par sa complexité, ne rend pas plus facile l'apprentissage d'autres langues.

« Ce n'est pas une question de difficulté mais de fréquences. Le russe bénéficie d'une gamme plus large que l'anglais ou le français. Entre parenthèses, ajoute-t-elle, ces deux langues n'en partagent que très peu, ce qui les rend mutuellement aussi hermétiques. Celui qui est né avec l'oreille russe saisira mieux les sons et les cadences d'un plus grand nombre d'autres langues. » Pendant quelques instants j'ai la vision saugrenue d'une ménagerie, peuplée d'innombrables oiseaux émettant tous à tue-tête leur propre gazouillis impénétrable et strident. *Welcome to Europe !*

Alexandra ne fait pas que parler ses langues. Elle les *habite.* Lorsque je lui ai dit que le propos

21

de mon livre était d'explorer tout ce qui est intraduisible d'une langue à l'autre, elle cessa un instant de fouiller dans son sac. Elle me fixa, sans un mot, ce qui ne doit pas lui arriver souvent, elle qui dispose d'une telle panoplie : *Thank you !* me dit-elle. Je pense qu'elle l'aurait peut-être précédé d'un joli « ouf ! » si seulement ce mot existait dans la langue maternelle que nous partageons.

« Enfin quelqu'un qui le dit ! » Je perçois dans son soulagement les affres de toutes ces années, enfermée dans des cabines « son », le casque domptant non seulement son abondante chevelure mais surtout son indiscutable verve créative. La voilà obligée chaque jour de zigzaguer dans le *schwarz* sémantique et d'y extraire la substantifique moelle des élucubrations d'un énième *keynote speaker*.

Alexandra revient sur la *radioactivité*. Les mots ont incontestablement un « buzz », dit-elle. Elle cite comme exemple le mot « social » en français. Il existe bel et bien en anglais mais, on peut le répéter jusqu'à ce que l'on en ait le visage tout bleu, *until you're blue in the face*, les Anglais ne vont jamais comprendre ! Cela ne sonne pas du tout de la même façon pour un anglophone.

« La plupart des gens pensent qu'il suffit d'apprendre une langue avec un marteau et un ciseau. Comme si la traduction, c'était du plaqué or. » Elle passe ses journées à traduire des non-anglophones « qui pensent qu'ils parlent le vrai anglais ». En fait il s'agit d'une sorte de brouillard, une vaste et anonyme interlingua, dénuée de toute émotion, puisée vaguement dans le squelette de l'anglais tel qu'on se l'imagine...

« Alexand*rrrrrrr* », me dit-elle, tout d'un coup. Le roulement si russe du « r » gronde dans la soupe miso où je vois se former de petits cercles concentriques, faisant vibrer les morceaux de tofu. Mon homonyme se lance dans une explication délicieusement impénétrable à propos de toutes les nuances que permet cette langue autour de ce seul prénom que nous partageons. « Sasha » est le diminutif le plus répandu d'Alexandr et dénote une certaine tendresse. « Sashlinka » est plus chaud encore. « Sanya » est réservé pour les moments où l'on nous aime moins. « Schoura » pour les jours où nous faisons des affaires. Nous avons également des « sashka » et des « sasoulinka », des « sashoulya » voire des « sashoulitchka ». Viennent ensuite Sanyochek, Sanyushenka, Sanyashechka, et Sanyulechka. J'abandonne rapidement toute tentative de noter la myriade de permutations affectives. L'humble Alex anglophone que je suis se contente de scruter les contorsions phonétiques dans la bouche de son interlocutrice qui chuinte une grande variété de sons en « shhhhhh », tantôt la mâchoire relâchée, tantôt les dents plus en avant, tantôt les lèvres plus serrées.

Après ma rencontre avec Alexandra, au moment où elle quitte le restaurant pour replonger dans le monde de ces *power-points*, un étrange souvenir me revint en mémoire. Je me revois dans je ne sais quel hôtel quelque part à l'est de notre continent, juste après la chute du Mur. Plutôt que d'aller « sentir le pouls sur le terrain » comme le voulait mon rédacteur en chef, je suis tombé à la télévision sur une vieille adaptation cinématographique en noir et blanc du *Roi Lear* de Shakespeare, en russe, dont on aura compris l'extrême exiguïté de mes connaissances. Je n'ai rien saisi, mais j'ai tout regardé, ma connaissance de l'intrigue m'aidant au moins à suivre la houle des monologues retentissants.

Oserais-je dire qu'au moment où j'ai éteint le poste (nous étions dans un pays sans télécommande), je me suis posé une question qui relève sans doute du crime de lèse-majesté linguistique : la langue russe n'avait-elle pas réussi l'exploit d'être encore plus *shakespearienne* que l'anglais ?

Les articles bradés

Des craquements statiques et un beignet à la fraise

« Nous ne sommes plus dans le Kansas, Toto ! »
Dorothy, alias la jeune Judy Garland, le dit à son
chien lorsque tous les deux sont téléportés de leur
ferme natale vers le pays d'Oz. C'est exactement
ce sentiment qui nous étreint dès que nous devons
quitter le monde rassurant de notre *home sweet
home* linguistique.

Il y a des choses qui semblent tellement
logiques dans notre langue que nous avons du mal
à imaginer que l'on puisse s'en passer. Ce sont
tous les articles, tous ces pronoms, prépositions et
verbes qui émaillent la moindre de nos phrases.
Ce sont les murs porteurs sur lesquels repose

l'édifice de nos paroles. Pourtant, il y a un nombre époustouflant de cultures linguistiques qui conçoivent la langue, et du coup le monde, tout autrement que nous.

Prenez les articles, l'un des éléments les plus courants de toutes les langues qui ont une origine commune : le continent européen. La phrase précédente en comporte déjà pas moins de sept ! *Le, la, un* ou *une*. Ils sont primordiaux dans la façon dont nous construisons, dont nous *pensons* nos phrases. Difficile d'imaginer comment l'on pourrait s'en passer. Pourtant, de par leur présence maladroite, leur absence inattendue ou l'incompatibilité de leur traduction, ils ont marqué quelques-uns des grands événements de notre histoire récente, de façon tantôt tragique, tantôt comique…

Le 26 juin 1963, à l'occasion de l'anniversaire des quinze ans du pont aérien qui avait sauvé Berlin-Ouest, dans l'un des discours les plus marquants du XXᵉ siècle, JF Kennedy prononça devant la foule rassemblée à la mairie de Schöneberg son résonnant *Ich bin ein Berliner*. C'était un moment très poignant. Sauf que le jeune et fringant président des États-Unis venait de déclarer aux citoyens de la capitale allemande qu'il était un beignet à la fraise recouverte d'une onctueuse couche de sauce vanille.

L'allemand en effet ne met jamais d'article indéfini devant les adjectifs de ville. (*Ich bin Münchner*, je suis *un* Munichois) En anglais, en revanche, sa présence est obligatoire devant la ville. *I am a New Yorker, a Londoner*, etc. Du coup, à son insu, JFK s'assimila à cette spécialité pâtissière. Et encore, heureusement, le Président ne fit pas son discours à Hambourg ou à Francfort...

Une autre polémique fait rage encore aujourd'hui sur la présence ou non d'un article indéfini. Lorsque Neil Armstrong posa son pied gauche sur la surface de la Lune, que déclara-t-il au juste ? Disait-il *It's a small step for a man, but one giant leap for mankind* ou *It's a small step for man* ? La qualité de l'enregistrement ne permit pas de trancher. La vive controverse provoquée par « cet alunissage » court toujours.

L'astronaute avait certes autre chose en tête que la concordance sémantique lorsqu'il tendit son membre inférieur sur la poussière grisâtre. La présence du « a », l'article indéfini en anglais, aurait signifié « c'est un petit pas pour *un* homme, l'homme que je suis (a step for *a* man). Si jamais le « a » ne fut pas prononcé, cela signifiait que c'est un petit pas pour l'humanité, créant une répétition avec la seconde partie de la phrase.

L'utilisation de l'article aurait été plus appropriée d'un point de vue stylistique, appuyant sur le contraste entre le geste d'un seul homme et le destin de la planète entière.

Lorsqu'il revint sur terre, Neil Armstrong affirma qu'il pensait bien avoir prononcé l'article, « un petit pas pour *un* homme », *for a man.* Des linguistes sont allés jusqu'à disséquer en long et en large les curiosités phonétiques de son accent, prétendant que la façon de parler anglais dans l'Ohio l'aurait poussé naturellement à écraser ce « a » fatidique. Une autre explication plus poétique a été avancée : l'article indéfini, le plus résonnant jamais sorti de la bouche d'un homme, se serait-il tout simplement *volatilisé* dans le cosmos, perdu à tout jamais dans ce qu'un scientifique de la Mission Control appela un « craquement statique », *a crackle of static* ?

La controverse sévit un long moment et fut seulement élucidée en 2009, grâce à la numérisation des enregistrements de la NASA. Les analyses d'un spectrographe montrent que le r final de *for* et le m au début de *man* étaient bel et bien… collés ! Lorsque l'on analyse en revanche l'intonation de la phrase, et notamment celle montante sur le premier « man » l'on comprend qu'Armstrong avait néanmoins l'intention de dire « *a* man », mais qu'il l'oublia tout simplement. Un seul article vous manque, et la Lune demeure désespérément dépeuplée...

La différence de l'emploi des articles entre le français et l'anglais a également des conséquences géopolitiques tragiques. La résolution 242 des Nations unies, faite cinq mois après la guerre des Six Jours en 1967, avait comme ambition d'instaurer « une paix juste et durable au Moyen-Orient ». Elle demande en français « le retrait des forces armées israéliennes *des* territoires occupés lors du récent conflit ». Il s'agissait de la Cisjordanie, de Jérusalem-Est et de la Bande de Gaza.

Depuis cette date Israël s'est toujours appuyé sur la version anglaise de cette résolution, choix qu'on comprend fort bien puisque celle-ci parle de *withdrawal from occupied territories* et non pas *withdrawal from* the *occupied territories*. Cette variante aurait stipulé de façon indiscutable qu'il s'agissait de *tous* les territoires. Le débat sur la présence ou non de l'article défini dans la version anglaise engendra plusieurs mois de tractations diplomatiques. L'Union soviétique tenait à ce que l'on ajoute le mot « tous » ou son équivalent en anglais devant *territories*. Lord Caradon, l'ambassadeur britannique présent dans les négociations, s'y opposa fermement. Jusqu'à aujourd'hui le conflit tourne autour de cette ambiguïté qui est le résultat d'une différence d'usage des articles dans nos deux langues qui se targuent toutes les deux d'être la langue de la diplomatie internationale.

Winnie ce Pooh-là et le pénis de Mrs Smith

Nos articles définis et indéfinis sont si innocents et inoffensifs, ils sont si indispensables au tissu de nos phrases quotidiennes. Pourtant, on vient de le voir, leur emploi peut avoir des conséquences cataclysmiques. Pourquoi donc ne pas s'en débarrasser ? C'est exactement ce que font la plupart des langues du monde !

Les Russes et les Chinois se débrouillent fort bien sans. Plutôt que de dire « donne-moi une pomme » une majorité d'êtres humains disent dans leur langue l'équivalent de : « Donne-moi pomme. » Article ou pas, on finit tous par croquer la même chose. Si jamais une différence devient nécessaire, il y a des « trucs » pour la faire sentir. Le russe par exemple change l'ordre des mots. *Sobaka laet,* « le chien aboie », mais si l'on dit *laet sobaka,* les Russes comprennent que c'est *un* chien qui aboie, même s'ils ne savent pas comment il s'appelle.

Les articles sont souvent encombrants. Non seulement la majorité des langues n'ont pas de mots pour « un » ou pour « une », mais ils n'ont rien non plus pour « le » ou pour « la ». Une langue sur cinq seulement dans le monde s'en sert. 800 millions de personnes qui parlent mandarin vivent même très vieux sans jamais prononcer l'équivalent de « le » ou « la » de leur vie. Sur cette question, notre enclave linguistique en Occident constitue même une bizarrerie.

Tous ces articles définis qui nous sont si chers n'apportent pas forcément beaucoup de sens à nos phrases, lorsque l'on y pense. D'où viennent-ils, au juste ? « Le » et « la » en français proviennent des mots latins *illus, illa* et *illum*. Ces petits éléments étaient ce que l'on appelle grammaticalement des dieictiques, du grec « montrer du doigt ». *J'ai vu l'homme* indique qu'il s'agit d'un homme dont on a déjà parlé, et pas n'importe lequel. C'est le seul « sens » que possède véritablement ce mot, mais il suffit de creuser pour que cela devienne de plus en plus flou.

Vous, Français, êtes déjà beaucoup plus friands de l'article défini que nous. Je suis britannique et *I love chocolate*. Vous, vous aimez forcément *le* chocolat. « J'aime chocolat » sonne faux, certes, mais à la suite d'une telle révélation il serait tout de même étonnant que quelqu'un vous dirige vers le rayon de la charcuterie.

L'un des nombreux cauchemars pour les francophones lorsqu'ils apprennent l'anglais concerne l'emploi ou non de l'article défini, pour ne rien dire de sa prononciation si souvent hasardeuse sur laquelle nous reviendrons dans un souci purement sadomasochiste plus tard dans ce livre. Tout d'abord un aveu : même pour les anglophones, la situation n'est pas toujours claire. Prenez Paris au printemps. Quelle est la différence entre *Paris in spring*, et *Paris in the spring*, tous les deux possibles ? Il s'agit de ma langue maternelle. Pourtant, je ne suis pas sûr de percevoir les nuances, ce qui ne m'empêchera nullement de continuer à humer l'odeur enivrante des premiers bourgeons dans les jardins du Louvre.

Cet aveu provoquera certainement quelques lettres de la part de professeurs d'anglais avec force explications ! Ce sont les mêmes qui martyrisent leurs pauvres apprentis anglophones avec la différence entre « will » et « shall », subtilité qu'aucun Anglais ne maîtrise depuis que votre ancêtre Guillaume foula notre sol !

La traduction même du « the » anglais peut être source de nombreux tracas. Quelqu'un en manque d'autres occupations plus prenantes prit récemment sur lui de traduire en latin le livre anglais pour enfants *Winnie The Pooh*. Se posa d'office l'épineux problème du titre, car Winnie

« le » Pooh eût été impossible dans la bouche des enfants latinophones, privés qu'ils étaient d'articles de tous genres. Notre héros fut du coup rebaptisé « Winnie ille Pooh » qui déforme le sens original car du coup nous avons affaire à un « Winnie ce Pooh-là » visiblement beaucoup plus imbu de sa personne !

Cela me rappelle la tendance attachante qu'ont les Allemands à mettre leur article défini un peu partout dès lors qu'ils entendent le moindre prénom. Vivant à Berlin depuis quelques années, j'ai appris à m'identifier en disant *ich bin der Alex*, « je suis *le* Alex », ce qui semble déclencher davantage de sourires bienveillants à mon égard que si j'arrivais les mains vides et sans le moindre article.

Entre parenthèses, je soupçonne notre ami le traducteur de Winnie de passer ses soirées à écouter Radio Finlande Internationale. C'est de nos jours la seule radio au monde à proposer des « Nuntii Latini » : une émission d'actualités dans la langue de Jules César. Le tout est relayé, pour reprendre tels quels les mots sur leur site web *per satellites et per rete informaticum Internet ubique terrarum*. Il nous est proposé aussi de prendre connaissance de ces nouvelles quelque peu hermétiques en les téléchargeant *in receptorium tuum "podcast"*.

Article ou pas article en anglais, leur absence faillit me coûter un jour mon emploi. Dans les années 1980 j'étais enseignant d'anglais à l'Institut Catholique de Paris. On m'avait donné à distribuer des images de la famille Smith, une caricature suintant l'ennui *has-been* de l'establishment britannique... Dans le souci de faire ânonner par l'assistance quelque peu réticente une suite d'affligeantes banalités, je demandais aux élèves ce qu'ils discernaient dans mes édifiants tableaux. Après une suite d'observations du genre « *Mr Smith is reading the newspaper* », l'ambiance prit une tournure inattendue lorsque je m'adressai à une jeune fille laquelle me dit sur un ton des plus déclamatoires qu'elle voyait : « a penis of Mrs Smith... »

Je regardai du coup l'image avec un intérêt renouvelé, sans pour autant y détecter le moindre phallus. Enfant des Sixties, je ne rechigne jamais à relever les défis en matière de débat sur le sexe et ses ramifications même les plus improbables. Toutefois, je n'étais à l'époque qu'un jeune assistant de langues dans cet établissement à la discipline plutôt sévère où l'on apercevait de temps en temps passer devant les fenêtres la coiffe de nonnes. Du coup je décidai de passer outre, me limitant à me retourner vers sa voisine auprès de laquelle je m'enquis, avec une certaine appréhension, si elle aussi voyait la même chose ? « Yes, I see it too », fut sa réponse stupéfiante.

C'est dans le RER quelques jours après que je compris à quel point je l'avais échappé belle. Mon élève avait vu *happiness of Mrs Smith* (le bonheur de Mme Smith) déclamé *sans* l'article défini qui m'aurait sorti de cette mauvaise pente sémantique. Dans l'énoncé de « *the* happiness », l'article défini de la langue anglaise est aussi indispensable pour le bonheur des Smith que l'appareil génital de son chef de famille. J'aperçus sur la rampe de l'escalier mécanique de la station Auber les traces de ma sueur froide…

Me vient à l'esprit une autre source de malentendus entre nos deux langues, occasionnée par la présence dans le RER de ces notices jaunes tout le long des escaliers mécaniques. Ces panneaux invitent les passants à « tenir la main courante ». De nombreux éléments de vocabulaire technique me faisaient encore défaut à l'époque où j'achetais mes premiers coupons de Carte Orange. J'avais déduit du coup que l'idée générale visait à nous exhorter à laisser une main libre et en l'air, sans doute, pensais-je, dans un souci d'anticiper tout imprévu occasionné par des gestes brusques de la part d'autres voyageurs. Cette mauvaise traduction a engendré pendant longtemps dans mon imagination, sans doute fertile, le tableau surréaliste d'une horde de Parisiens esquissant les gestes les plus extravagants afin d'empêcher une suite de corps à corps inconcevables sur le tapis.

Des sentinelles moustachues et la singularité des spaghetti

Plutôt que de nous faciliter la tâche, certains articles peuvent rendre nos langages bien plus compliqués. Il suffit de considérer les infortunés Italiens qui s'en sont dotés d'une véritable flopée. C'est assez simple pour *il* et *la*, tout comme en français pour le masculin et le féminin, puis *l'* pour les voyelles. Cela se complique dès lors que l'on tombe sur l'imprononçable *gli* qui introduit tout ce qui est masculin et pluriel, avec sa version féminine, *le*.

Vient s'ajouter à tout cela une autre forme, *lo*, à placer devant ce que les manuels de langue appelaient naguère de façon délicieusement pittoresque le « s *impur* ». Il s'agit de tout « s » dont la *pureté* serait compromise par la proximité indélicate d'une autre consonne. Cette règle permet d'éviter de tomber sur trois consonnes à la suite, ce qui constitue une gymnastique périlleuse dans une bouche transalpine.

Les Espagnols considèrent eux aussi que les « s » impurs sont *estupidos*. Ils préfèrent saupoudrer

36

leur vocabulaire de quelques « e » inattendus afin d'éviter la cacophonie d'un surplus de consonnes. Cela n'échappera pas aux voyageurs dans les aéroports ibériques qui liront non sans *estupefaccion* que leurs avions partent vers *Estrasburgo* ou *Estocolmo*.

Mais revenons aux articles. Même les langues européennes ne sont pas toutes d'accord entre elles sur leur place. Quelques-unes les collent à la fin du mot. C'est le cas du suédois par exemple. *Slott* : château, slott*et* : *le* château. Le roumain fait de même. *Om* est facilement reconnaissable comme « homme » mais le menaçant *omul*, *l'*homme, l'est moins en revanche.

Un des rôles de l'article est de définir le genre. Je me souviens toujours de mon ébahissement lorsque mon père m'expliqua que, de votre côté de la Manche, les choses les plus inanimées étaient tout de même considérées comme disposant d'attributs masculins et féminins. Pour un petit garçon secoué par l'éveil de ses premiers frissons sexuels, cela me paraissait terriblement... osé ! Je scrutais la banale table de notre cuisine avec un intérêt renouvelé, impatient d'y déceler un soupçon d'élégance qui aurait prédisposé nos voisins à l'assimiler à la gent féminine. Quelle ne fut ma confusion lorsque j'appris que les

Allemands, eux, y discernent au contraire une virilité bien teutonne !

Jusqu'à aujourd'hui, mon « id » linguistique se révolte intérieurement lorsque j'entends des baigneurs sur l'une de vos côtes, plongés dans une eau délicieusement tiède et qui finissent toujours par s'exclamer : « Qu'est-ce qu'*elle* est bonne ! » Même après trente ans passés en France, j'ai du mal à employer le pronom *elle* pour toute « victime » dotée des mêmes attributs virils que *Mr.* Smith. Encore plus grotesque, lorsqu'il s'agit de décrire les allées et venues d'une « sentinelle ». *Elle* gravit les marches du parapet, *elle* revêtit son uniforme et *elle* tailla ses grosses moustaches ?

Les Nordiques sont visiblement un peu plus gênés que vous par cette manie de doter le moindre objet inanimé d'attributs de ce genre. Auparavant le néerlandais faisait pareil que le français, attribuant ses pronoms masculins et féminins *hem* (il) et *zij* (elle) à des objets. D'après mes sources, dans le nord du pays et depuis quelque temps déjà, il y aurait une fronde ! Les choses, même si elles sont toujours masculines et féminines par leur article et leur genre grammatical, n'ont droit maintenant qu'au humble pronom *het*, aussi neutre et inanimé que le *it* anglais.

Il n'est pas insensé de se demander si le fait de conférer aux objets des attributs, dont l'origine renvoie très clairement à la différence entre les deux genres de notre espèce, ne leur confère pas certains traits inconscients. On a demandé par exemple à des germanophones et à des hispanophones de décrire des substantifs qui ne partagent pas le même genre dans les deux langues. Une « clé » est masculine en allemand, féminine en espagnol. Spontanément les germanophones y associaient davantage de mots comme « dur, métal, utile », contrairement aux hispanophones qui, eux, voyaient quelque chose de « doré, brillant, minuscule ». C'était tout le contraire lorsqu'il s'agissait d'un pont, féminin en allemand, masculin en espagnol. Les premiers l'associaient à des adjectifs comme « élégant, fragile, paisible », les Espagnols préférant « grand, dangereux, solide ». Que doit-on penser en revanche lorsqu'une langue propose deux mots d'un genre différent pour une seule et même chose, l'exemple le plus évident qui me vient à l'esprit étant vos « couilles » et vos « testicules » ?

Même l'anglais ne résiste pas parfois à humaniser des objets. C'est une tradition par exemple de parler de grands navires au féminin. Au moment de lancer la traditionnelle bouteille de champagne pour en inaugurer un, la Reine dit *May God bless* her *and all who sail in* her, Que Dieu *la* bénisse, et tous ceux qui voyagent en *elle*.

Le très vénérable journal maritime, *Lloyd's List*, donne depuis 1734 des nouvelles de tous les vaisseaux anglais. En mars 2002 la rédaction prit la décision de ne plus utiliser le pronom féminin pour les navires, préférant la neutralité plus banale du *it*. Il y eut une telle houle de protestations que l'éditeur dut revenir sur sa décision.

Des cannibales, des objets cylindriques et des avions-légumes

L'anglais est l'une des rares langues à ne pas tout ranger dans des catégories. Chacun voit évidemment midi à sa porte et classe ses mots comme il le peut. Ce n'est pas sans un certain effroi que l'on apprend par exemple que la tribu Wari, qui vit au plus profond de l'Amazone, réserve dans sa langue un terme pour ce qui est « comestible » et que cette catégorie englobe tout ce qui ne fait pas partie de la tribu Wari, y compris les autres êtres humains !

Plus on s'éloigne de l'Europe, plus ce besoin de tout ordonner selon des cases grammaticales frôle l'obsession. En cantonais, par exemple, les choses sont classées par « genres » en fonction de leur forme. Il y en a un réservé aux objets plats et horizontaux, un autre pour les choses massives, puis encore un autre réservé aux objets cylindriques.

À l'écart de toutes influences linguistiques extérieures, les langues aborigènes d'Australie ne sont pas en reste lorsqu'il s'agit de créer les catégories les plus inattendues. L'auteur australien George Lakoff intitule son roman *Les Femmes, le Feu et les Choses Dangereuses*, d'après l'un des « genres » de la langue dyirbal, langue qui inclut également dans ses classifications un genre réservé aux objets *qui reflètent la lumière* !

La langue gurr-goni, parlée au nord de l'Australie, consacre l'un de ses innombrables genres aux légumes comestibles. C'est avec une certaine perplexité que l'on y trouve le mot « avion ». Cela résulterait apparemment du fait que les canoës sont en bois et de ce fait assimilés aux plantes, lesquelles sont du même genre que les légumes. Lorsque les Gurr-goni-phones virent pour la première fois un avion, ils empruntèrent le mot anglais (*airplane*), le transformèrent en *erriplen* pour le ranger sans sourciller dans leur casier à « légumes ».

Mais tout cela n'est rien comparé à une langue comme le peul, parlée dans une vingtaine d'États d'Afrique occidentale et centrale s'étendant du

Sénégal aux rives du Nil et connue aussi sous le nom de fulani, fulbe et fulfulde. C'est la première langue en Guinée, la deuxième langue au Sénégal, au Cameroun et au Burkina Faso. Les 26 millions de personnes qui la parlent doivent constamment jongler avec pas moins de 24 « genres »…

Un premier est réservé aux êtres humains (hommes et femmes regroupés ensemble). Un autre pour les êtres plus jeunes, et un autre pour les arbres (différent de celui réservé aux arbustes et aux végétaux), puis un autre encore pour le bétail à ne pas confondre avec celui où l'on stocke la plupart des animaux, mais pas tous. On trouve aussi un genre réservé aux noms exprimant une notion de longueur que ce soit de temps ou de lieu, puis un genre pour tout ce qui est « exagératif ». Un autre encore regroupe dans un ensemble qui laisse perplexe les parties du corps, les liquides et puis le sel.

Nous ne sommes pas au bout de nos peines avec le peul car il y a d'autres genres encore, comme celui regroupant les objets jugés de manière péjorative. Un grand singe *mbaa-nga*, et un petit singe minable, *baa-ngum*, ne sont pas du tout dans la même catégorie par exemple. Chacun des 24 « genres » possède évidemment son propre article, qu'il nous incombe de conjuguer selon un système de déclinaisons souvent (mais pas toujours !) régulières, dont le moins que l'on puisse dire est qu'au moment de leurs conceptions la simplicité ne fut pas le maître mot !

Il est d'ailleurs intéressant de constater que les journaux de Dakar publient de plus en plus dans leurs courriers des lecteurs des lettres de personnes âgées, qui se plaignent de la tendance des jeunes Sénégalais à abandonner cette notion de genre, que ce soit en peul ou en wolof, traitant tous les substantifs à la même enseigne. On peut compatir.

Encore plus intéressante, la classification des choses et surtout les conséquences grammaticales qui en découlent dans la langue des Indiens amérindiens Navajos. Leur langue, parlée par 150 000 personnes qui vivent dans des réserves au nord-est de l'Arizona, est particulièrement intéressante puisqu'elle a évolué indépendamment de toute influence extérieure. Elle joua même un rôle important dans l'effort de guerre américain, nous allons le voir plus tard...

Les Navajos ont décidé qu'il fallait classer les choses selon leur degré d'animation. On est heureux de constater que les êtres humains sont les plus *animés*, suivis par les éclairs dans le ciel, les bébés, les gros puis les petits animaux, les insectes, les plantes et, chose intéressante pour nos langues qui les affectionnent tant, en bonne dernière place : toute idée ou chose abstraite ! Ces classifications n'influent pas seulement sur la notion de « genre » mais aussi sur l'ordre de préséance qu'occupe chacun des éléments dans le déroulement de la phrase. Le nom représentant la chose la plus animée prime forcément sur tout le reste et le précède donc dans l'ordre de la phrase, et ainsi, indépendamment des rôles grammaticaux qui sont si déterminants pour nous.

Le navajo rappelle une langue inventée au XIIe siècle par l'abbesse de Rupertsberg, la nonne allemande Hildegaard von Bingen, « égérie » du monde ecclésiastique teuton. Au moment où j'écris ces lignes, à Berlin, un film consacré à sa vie vient de sortir et attire de nombreuses personnes, visiblement pas les plus âgées d'après la queue des cinéphiles que j'aperçus l'autre soir. Celle que les Allemands appellent *die wilde Hilde*, la Hilde sauvage, connut le martyre lorsqu'elle affirma communiquer avec Dieu. En dehors de ces dialogues, elle consacra sa vie à de nombreuses activités et notamment à l'élaboration d'une langue, la Lingua Ignota.

Il ne reste pas grand-chose de sa création, si ce n'est une liste de quelques-uns des 1 012 termes, arrangés et séquencés par ordre de préséance dans la phrase, tout comme dans la langue des Navajos. Dieu est ce qui prime sur tout et pour une raison obscure ce sont les grillons qui ont le moins d'importance. Hilde refusait de partager sa trouvaille et emporta dans la tombe ses manuels de grammaire. Son ami, le provost Wolmarus, lui adressa une lettre en guise d'épitaphe, qui s'achevait sur cette complainte poignante : *ubi tunc vox inauditae melodiae ? et vox inauditae linguae ?*, « Où donc est la voix de la mélodie inouïe ? et la voix de la langue que personne n'entendra ? »

Des dragons, des prompteurs et de jeunes et beaux Portugais

Les articles sont donc loin de faire l'unanimité. La majorité des langues s'en passent très bien et celles qui en ont ne conçoivent pas leur rôle de la même façon que nous. Attaquons-nous à un autre « mur porteur » linguistique : les verbes « être » et « avoir ». Comment pourrait-on s'en passer ?

« Être » tout d'abord. Ce verbe qui nous paraît essentiel *est* inconnu au mandarin, la langue la plus parlée au monde. Lorsque les Chinois disent que le ciel *est* bleu, ils se passent non seulement de l'article mais aussi du verbe. Ils n'ont peut-être pas tort. Après tout, la phrase « ciel bleu Pékin » est déjà explicite. Comme dirait une amie américaine, *what's **not** to understand ?* Qu'y a-t-il à ne **pas** comprendre ? Même en anglais, surtout dans ses formes les plus contemporaines, le verbe « to

45

be » tend à disparaître. Dans les quartiers noirs des grandes villes américaines, et du coup dans les textes de bon nombre de chansons de rap, on entend souvent des phrases comme : *she real hot !* – elle (est) bien chaude ! – *if you downtown* – si tu (es) au centre ville.

Le russe fait de même et pourtant on ne peut pas reprocher à cette langue de manquer de vocabulaire et de nuances souvent impénétrables. « Je suis étudiant », *Ya stjudent !* Le verbe « être » existe en revanche au passé. On peut se demander comment le traducteur russe de l'*Immoraliste* de Gide put rendre la phrase célèbre de Ménalque qui « confond n'être plus avec n'avoir jamais été... »

L'utilisation du verbe « être » est aussi loin d'être simple dans de nombreuses langues voisines des nôtres. Prenez les Espagnols. L'un des pièges que redoutent les non-hispanophones concerne l'emploi des verbes *ser* et *estar*. *Ser* est réservé à une situation permanente, *estar* à une situation plus précaire. Pareil en portugais. Hélas, pour le non-initié, les zones grises entre pérennité et évanescence ne sont pas toujours des plus évidentes. Je connais une Française qui voulut complimenter un jeune Portugais sur sa beauté. Notre fringant lusophone, aussi modeste qu'indulgent à l'égard de ceux qui ne maîtrisent pas parfaitement sa langue, rétorqua, blessé : *Não* estou *bonito, eu* sou *bonito*. Peut-être faudra-t-il avoir recours à une paraphrase un peu grotesque pour ménager les susceptibilités du jeune homme en lui disant qu'il n'est pas seulement attirant ce soir, mais beau de manière définitive !

Même entre nous, Français et Anglais, la chose n'*est* pas si tranchée. Nos verbes « être » et *to be* connaissent nettement plus d'angoisses existentielles que les autres. C'est le seul verbe qui a des formes très différentes dans l'indicatif et le subjonctif en français : il *est* en retard et du coup il faut qu'il *soit* là. Les Allemands sont encore plus rongés par le doute, car le subjonctif du verbe « être » est absolument nécessaire dès lors que l'on affirme quelque chose à propos de quelqu'un d'autre. Il dit qu'il est malade, en français, devient l'équivalent de « il dit qu'il *soit* malade » en allemand. Honni *soit* qui mal y conjugue !

Cet emploi du subjonctif allemand explique d'ailleurs l'indifférence apparente de ceux qui présentent les informations sur la principale chaîne de télévision allemande, l'ARD. J'évite le mot « journaliste » car ils se définissent comme des *Sprecher*, ceux qui « parlent » et qui lisent les dépêches. Le subjonctif allemand imposé permet de maintenir une certaine distance avec l'information et un scepticisme qui fait défaut aux autres langues. En outre, ces Sprecher n'utilisent pas le téléprompteur. Le journal télévisé est du coup assez froid, mais il paraît aussi plus objectif.

Même l'anglais, qui se débarrassa il y a fort longtemps des fioritures de son subjonctif, l'utilise encore dans quelques expressions toutes faites. Quel est l'Anglais qui ne fulmine pas contre *the powers that be !*, une expression qui fustige tous les abus de pouvoir des puissants. Cette tournure l'emporte sur ce qui se dirait plus naturellement aujourd'hui : *the powers that are*. L'on pense aussi à cette mappemonde anglaise du Moyen Âge où l'on inscrivit, dans les zones océaniques glauques et lugubres, une fois dépassées les frontières du monde connu : *There be dragons !*, « Là-bas il doit y avoir des dragons ! ». Cette phrase paraît d'actualité lorsqu'il s'agit de décrire l'attitude de mes compatriotes à l'égard de la chose européenne.

Des chats gallois et des trompes d'éléphants

Qu'en est-il du verbe « avoir » ? Il n'a pas davantage la cote hors de nos frontières linguistiques. Bien avant de dénigrer toute possession matérielle, les Russes décidèrent de contourner ce verbe, disant *u minja kniga,* littéralement « à moi livre » ! Les Israéliens, eux, se contentent de déclarer en hébreu qu'il y a « un livre à moi ». Chez les Turcs, *ben-de bir kitap var*, sur-moi un livre est ! La liste est longue des autres langues qui n'en *ont* pas non plus : l'arabe, le finnois, le hindi, le hongrois et l'urdu entre autres.

Pour les Japonais, c'est tout le contraire. Ils y consacrent non pas un, mais deux verbes différents : *iru* (居る) et *aru* (有る). Le choix dépend de la nature de la chose « eue ». *Iru* s'applique à une personne, un animal ou toute autre chose vivante, à l'exception des plantes. *Aru* est réservé à des objets sans vie, dont la végétation. Dans les deux cas, « avoir » signifie s'être *emparé* de quelque chose. Pour dire que les éléphants *ont* de longues trompes, un Japonais considère, non sans tort, qu'il ne s'agit pas d'un acte volontaire d'appropriation. Ils préfèrent alors utiliser une paraphrase : « Quant aux éléphants, leurs trompes sont longues. »

Au nord du Japon, la langue ainu dispose également de plusieurs verbes différents pour « avoir ». Le choix du verbe dépend du nombre de choses « eues ». En d'autres termes, les Aïnous considèrent que l'on *possède* autrement si l'on possède en masse. Le verbe *kor* signifie avoir un petit nombre de choses. Dès que la quantité est considérée comme importante, le verbe « avoir » évolue. On n'*a* plus, on *beaucoup-a*. Ce peuple est visiblement très à cheval sur la notion de masse. Prenez le verbe « donner ». On « donne » différemment selon le nombre de récipiendaires, comme s'il y avait deux verbes différents en français : je « donne » et je « donne-généreusement » !

Même sur notre continent, le verbe « avoir » réserve parfois bien des surprises. En particulier chez les Gallois. Dans leur langue, toujours parlée par une grande partie de la population, une chose change carrément de nom selon qu'elle appartient à un homme ou à une femme. *Gath* est un chat lorsque son maître est masculin. On imagine la perplexité de l'infortuné félin dès lors qu'il tombe entre les mains d'une maîtresse et qu'il se voit transformé en *chath*. Ce n'est donc pas si évident pour les habitants d'Aberystwyth d'appeler un chat un chat.

De Romeo aux Quakers, et plusieurs vous

D'autres cultures ne partagent pas notre vision du monde. Si la façon dont nous *sommes* et dont nous *avons* n'est pas universellement partagée, au moins il ne devrait y avoir d'ambiguïté quant à nos pronoms personnels : je, tu, elle, il, vous et nous ?

Le monde des pronoms personnels est tout aussi déstabilisant que les verbes, si ce n'est davantage. Décidément notre maison linguistique semble fragile. Commençons par la façon de s'adresser à son interlocuteur direct : « tu » ou « vous ».

Le *thou* anglais a disparu depuis longtemps. Shakespeare en revanche ne serait pas Shakespeare sans ces tutoiements. Depuis son balcon, Juliette, sans savoir que son amant l'épie dans les buissons, demande : *Romeo, Romeo wherefore art thou Romeo ?*, « Romeo, pourquoi es-tu Romeo ? ». Ce serait nettement plus plat en anglais moderne : *Romeo, why are you Romeo ?* Le *thou* est solennel et biblique. Jésus tutoie son Père : *Why hast Thou forsaken me ?*, « Pourquoi Tu m'as abandonné ? » Darth Vader aussi dans *La Guerre des Étoiles* s'adresse avec révérence à l'Empereur : *What is Thy bidding, my Master ?*, « Quel est Ton souhait, ô Maître ? ».

On peut entendre ce tutoiement dans quelques recoins linguistiques. Quelques fermiers du Yorkshire y tiennent encore. Comme dit le dicton de cette région du nord de l'Angleterre, prononcé avec l'accent du coin : *Everyone's a little queer save thou and me, and even thou's a little queer*, « tout le monde est un peu bizarre, sauf toi et moi, et même toi, tu es un peu bizarre ! »... Aux

États-Unis le *thou* se chuchote encore dans les réserves linguistiques de certaines sectes nostalgiques du puritanisme d'antan. Ce « tutoiement » à l'ancienne confère ainsi un vernis pieux aux échanges des Quakers et des Amish.

Contrairement à ce que l'on peut penser, nous disposons même d'un « vous » pluriel en anglais, surtout en dehors de la Grande-Bretagne. *Y'all* (*you all*) s'emploie souvent dans le sud des États-Unis, prolongé et appuyé avec ce que l'on appelle le Southern Drawl, l'accent du Sud américain qui traîne sur ses voyelles. Le terme *you guys*, littéralement *vous les gars*, équivaut à un collectif familier aux États-Unis. Cela sonne bizarrement aux oreilles britanniques lorsque des Américains s'adressent à un groupe comportant des filles à l'aide de cette expression. Plus horripilante encore, la formule australienne : *yous* : *what are yous doing ?*, que faites-vous tous ? De quoi s'embarquer sur le prochain *erriplen* !

Le « vous » Hamburger et le « tu » des caissières

Mis à part ces quelques survivances du passé, l'anglais a tendance à simplifier les relations entre soi et les autres, se cantonnant à un seul et unique mode d'adresse. Ce n'est pas le cas de toutes les langues. Chez les Allemands, c'est une autre paire de manches. Selon la légende, le passage du vouvoiement, *Sie*, au tutoiement, *du* s'officialise en buvant le verre de la fraternité, *Bruderschaft trinken*. Après trois années à Berlin, je constate non sans soulagement que la transition linguistique se passe généralement sans cet enchevêtrement de coudes. Le tutoiement est d'ailleurs quasiment la règle. *Du* a une forme plurielle, *ihr*, très utile lorsque l'on est amené à s'adresser à un groupe d'Allemands avec lesquels on souhaite établir un certain degré de familiarité.

On n'est pas à une excentricité près outre-Rhin. De manière générale, personne ne pourrait reprocher à la langue allemande de manquer de permutations les plus alambiquées lorsqu'il s'agit d'aligner de nombreuses consonnes et voyelles. Pourquoi donc a-t-elle recours au même mot, *sie*, pour désigner non pas deux, non pas trois, mais *quatre* pronoms ? *Sie* signifie à la fois « elle » au singulier, « ils » ou même « elles » au pluriel et puis le « vous » formel. La seule différence, insignifiante dans le langage parlé, est qu'il s'écrit avec un « S » majuscule pour ce dernier. *Sie* est de toute façon plus formel que l'équivalent « vous » en français et son emploi est même ressenti comme le refus de toute familiarité. Le simple fait de tutoyer un fonctionnaire allemand sans autorisation, par exemple, est une offense, passible d'une amende de 500 euros.

Pour encore compliquer les relations et les formes d'adresse outre-Rhin, il existe aussi d'autres curiosités. Il s'agit des formes d'adresse associées aux différentes régions. Le Hamburger *Sie* par exemple consiste à vouvoyer quelqu'un, tout en prenant soin de l'appeler par son prénom dans la même phrase : Mangez votre gâteau, Gertrude ! afin de limiter les effets d'un vouvoiement trop impersonnel. C'est par exemple le mode d'adresse adopté dans les lycées allemands où l'on considère qu'il convient dès l'âge de quinze ans d'établir un équilibre entre une certaine familiarité et une distance excessive.

Hambourg, par son petit côté snob, a toujours été considéré comme la ville la plus anglaise d'Allemagne, contrairement à la capitale, connue, elle, pour sa *Berliner Schnauze*, sa « grande gueule berlinoise ». Le « tu » berlinois, associé au nom de famille, est une spécialité du cru, ce qui donnerait en français : « Dupont, tu me paies une bière ? »

Cela se complique nettement du côté des Bavarois avec le franchement bizarre « tu » munichois, autrement appelé le « tu des caissières ». Il s'agit d'ajouter dans la phrase *Herr* ou *Frau*, Monsieur ou Madame, et néanmoins de tutoyer la personne, ce qui donnerait quelque chose d'assez alambiqué : « Madame Schmidt, peux-tu me dire le prix des tomates ? » Si Mme Schmidt est hambourgeoise, elle serait peut-être tentée, en pesant les légumes, d'avoir recours à la sympathique expression allemande qui a son équivalence exacte en français (la locution aurait transité à un moment par les Alpes suisses) : « Mais ! nous n'avons pas gardé les vaches ensemble ! », *wir haben nicht miteinander die Schweine gehütet.*

Et dans le sud du continent ? Le « tu » italien est déjà plus présent qu'en français. Il suffit de se rendre dans un magasin de mode à Milan ou encore dans n'importe quelle ville italienne pendant une période électorale. Les nombreux partis politiques tutoient leur électorat : *Vota socialista !,* vote socialiste !, une adresse qui aurait plutôt tendance à irriter les électeurs d'autres pays !

Les Italiens ont deux « vous » formels, *Voi* et *Lei*, et là encore, l'histoire est complexe. Mussolini avait considéré que le pronom *Lei*, lequel signifie comme en allemand « elle », n'était pas d'une virilité suffisamment fasciste. Il essaya d'imposer *Voi* à tout le monde mais ce pronom tomba autant en disgrâce que son défenseur. Le *Lei* fut ressuscité, avec les divergences nord-sud que l'on connaît, divergences qui perdurent jusqu'à aujourd'hui.

Un pays est arrivé à changer d'habitudes. En Suède, la réforme du « tu » eut lieu dans les années 1960. On n'utilise quasiment plus l'équivalent de vous (*ni*). Cette initiative, unique en son genre, fut initiée par Bror Rexed, Directeur de l'Instance suédoise de la Santé. Lorsqu'il prit ses fonctions en 1967, il déclara dans son discours d'investiture qu'il avait l'intention de tutoyer tous les responsables de son département, décision accueillie avec enthousiasme comme un pas décisif en faveur d'une société plus égalitaire. Dix ans après, il n'y avait guère que les membres de la famille royale suédoise qui n'étaient pas « tutoyables ».

Mais depuis la fin des années 1980 on constate un certain retour au « ni », surtout, paradoxalement, chez les jeunes Suédois. Après avoir utilisé Vous, *Sie* et autre *Lei* pendant leurs séjours à l'étranger, ils ne ressentent plus le *ni* comme froid et condescendant.

L'âge prophétique où Ici aime Là-bas…

Ces délicatesses langagières en Europe ne sont rien si on les compare à l'usage des pronoms personnels sur le continent asiatique. Prenez le vietnamien, qui semble avoir une tout autre conception que nous des relations sociales. Le mot *tôi* désigne « je » mais seulement dans un langage poli et un peu guindé. Il existe un autre pronom intéressant : *ta*, à mi-chemin entre notre « je » et « tu » car il s'emploie lorsque l'on se parle à soi-même. Dans les rares occasions où je m'apostrophe, j'aurais tendance à le faire dans ma langue maternelle, l'anglais. J'emploierai soit la première, soit la deuxième personne du singulier, sans doute en fonction de mon état d'énervement contre moi-même. Mais ce serait nettement plus sympathique d'avoir un pronom intermédiaire, pas totalement *moi* mais pas totalement *toi* non plus, pour ces moments privilégiés de monologue intérieur.

En vietnamien il existe aussi un pronom à la troisième personne, *nó* dont l'usage est réservé aux enfants, aux animaux ainsi qu'aux adultes que l'on traite comme des criminels. *Mình* est réservé aux personnes avec lesquelles l'on a des relations intimes. Mais de manière générale les pronoms sont rares en Asie et le vietnamien les utilise peu. Ils dépendent surtout de la nature de la relation. Des amants s'appellent *anh*, frère aîné, ou *em*, sœur plus jeune, ces termes étant complètement exempts des relents incestueux que l'on pourrait leur prêter.

Chaque substantif qui indique une personne peut faire office de pronom. Plutôt que de dire « donnez-moi l'ordonnance » il est plus courant pour un médecin de dire l'équivalent de « Docteur donne l'ordonnance ». Le vietnamien, tout comme le chinois, le japonais et le coréen, cherche aussi à élever le statut de l'interlocuteur. L'origine du mot « je » (lequel de façon consternante pour les Français qui s'y aventurent se dit « toi » !) est la même pour « serviteur ». Il diffère des pronoms composés que l'on emploie dans des contextes sociaux bien particuliers : *quý khách*, client *bien estimé*, ou même *quý vị*, « être supérieur très estimé ! » Cette personnalisation des pronoms est répandue en Asie. Dans une langue comme le sinhala, il y a par exemple une suite de pronoms réservés aux moines bouddhistes.

Afin d'illustrer la complexité des rapports sociaux en Asie, je me permets de reproduire une partie de la page qu'une grammaire thaïlandaise consacre à l'emploi de la vaste panoplie pronominale proposée par cette langue.

« ผม เรา ฉัน ดิฉัน ชั้น หนู กู ข้า กระผม ข้าพเจ้า กระหม่อม อาตมา »

« Chacun des mots précédents traduit le mot "je" et s'utilise en fonction du sexe, de l'âge, de la politesse, du statut et surtout de la relation entre les interlocuteurs.

เรา (rao) peut correspondre à la fois à "je", à "tu" ou à "nous" selon le contexte. Lorsque l'on s'adresse à quelqu'un de plus âgé, หนู (nu) est un pronom de la première personne au féminin.

Quand on s'adresse en revanche à quelqu'un de plus jeune, หนู peut désigner une deuxième personne neutre, "vous". Le pronom de la deuxième personne เธอ (thoe) est féminin, son emploi se limitant à une conversation où chaque personne est une femme. Les hommes n'emploient pas ce pronom entre eux, mais peuvent y avoir recours dès lors qu'une femme est présente. Les formes คุณ (khun) et เธอ (thoe) sont des pronoms neutres polis de la deuxième personne. En revanche คุณเธอ (khun thoe) est un pronom féminin péjoratif. Plutôt que d'employer le pronom pour vous, คุณ, il est plus répandu que des gens, dans un contexte officiel, emploient l'un des mots suivants : พี่ น้อง ลุง ป้า น้า อา ตา ยาย... »

On a le même sentiment lorsque l'on débarque pour la première fois à Bangkok, et que l'on cherche désespérément l'un des surprenants taxis roses. Sur tous les murs, les arabesques envoûtantes de cet alphabet indéchiffrable rappellent la végétation exotique. En lisant l'extrait qui précède, on comprend aisément pourquoi les Thaïlandais ont tendance à renoncer à l'emploi des pronoms. Plutôt que de dire « je te raconte une histoire », une mère dirait à son enfant « *maman* raconte une histoire à *bébé* ».

59

En vietnamien on remplace assez fréquemment les pronoms par des descriptifs du lieu. Le mot « ici » fait ainsi office de la première personne, « là-bas » désigne l'endroit où se trouve l'autre. On pourrait imaginer un titre de roman : *Ici aime là-bas*, une captivante histoire d'amour entre un jeune des bas-fonds de la capitale et une Hanoïenne des quartiers huppés...

En matière de pronoms, pour une fois, les Chinois ont des habitudes qui se rapprochent des nôtres. Ils se limitent à faire la distinction entre « tu » et « vous » en y ajoutant une nuance fort sympathique. L'équivalent de vous est 您 (nín). Il est intéressant de noter que ce caractère est composé dans sa forme graphique d'un élément qui dessine le cœur. Cela ajoute une part de tendresse au mot. Ainsi le « vouvoiement » à la chinoise n'implique pas la même distance que dans nos langues, surtout à l'égard des personnes plus âgées. On pense à cette réplique de François Mitterrand lorsqu'un bon ami lui demanda, après trente ans d'amitié, s'il n'était pas temps de passer au tutoiement ? « Si vous voulez... », lui répondit-il froidement.

Saparmyrad Niyazov, le président à vie du Turkménistan, n'est pas moins un despote en matière linguistique que dans d'autres affaires de son pays. Parmi ses décisions les plus farfelues, l'interdiction récente des dents en or, des doublages de films étrangers ou encore sa volonté d'établir une réserve de pingouins dans le désert du Karakum. Serait-ce en raison de son âge : il a en tout cas décidé d'interdire le mot « vieux ». Lorsque l'un de ses citoyens atteint l'âge de soixante et un ans, il convient désormais d'évoquer « l'âge prophétique ». Il faut ensuite attendre d'avoir soixante-treize ans pour accéder à l'âge dit « inspiré ». Ces fioritures ne sont pas sans rappeler la proposition, assez vite écartée, de Jack Lang dans les années 1990, qui essaya de rebaptiser les personnes du troisième âge « les flamboyants ».

Les « je » sont faits

Tournons-nous maintenant vers la façon dont les langues du monde désignent la personne qui parle, l'émetteur de la parole, qui n'est autre que moi, donc « je ». Nos langues européennes sont relativement d'accord quant à l'emploi d'un seul et unique mot pour désigner l'individu que nous sommes, même si le norvégien par exemple propose tout un échantillon allant du simple *Eg* aux variantes *æ, I, Je, Jei, ekk, ej, e,* et *Jæ*. Mais les anglophones sont un peu plus indécis. Grammaticalement « c'est moi » devient *It is I* mais il n'y a

61

que la Reine pour parler de façon aussi ampoulée, ses sujets se contentent du plus roturier : *it's me.*

Il y a de légères nuances entre l'anglais et le français dans l'emploi du pronom à la première personne. Dans les manuels français, le « je » que l'on pourrait qualifier de « commercial » n'existe pas par exemple. « *Je* ne vais pas en avoir », dirait en France un marchand de couleurs. Le *haberdasher* anglais, s'il s'agit du patron, dirait éventuellement l'équivalent de « nous », mais il préférera sans doute une formule plus neutre, du genre « il n'y a pas de… »

Le contre-exemple parfait serait le « nous » éditorial du français. Transformer systématiquement chaque « je » en « nous » est une habitude boudée depuis longtemps par l'Anglais, d'où ma décision d'avoir recours au « je » pour évoquer *mon* propre parcours linguistique, ce qui peut paraître parfois un peu audacieux au lecteur francophone : toutes *mes* excuses !

Il existe aussi une autre façon de parler de soi : le « nous pompeux », ou, si on lui attribue sa splendide nomenclature en latin : le *pluralis maiestatis.* Mark Twain n'avait pas tort lorsqu'il déclara : « Seuls les rois, les présidents, les éditeurs et ceux qui ont le ver solitaire ont le droit d'utiliser le nous pour remplacer un simple je. » L'exemple le plus connu en anglais demeure : *We are not amused,* « *Nous* ne sommes pas amusée » de la pudibonde reine Victoria dont on singe jusqu'à ce jour la mine désapprobatrice dès lors qu'une plaisanterie surtout de mauvais goût tombe à plat.

C'est à Margaret Thatcher en revanche que l'on doit l'exemple le plus freudien de cette tournure. Elle était connue pour sa propension à *hand-bagger* (littéralement « donner des coups de sac à main à ») l'intégralité de son cabinet de ministres. Ses conseillers en communication voulurent corriger cette image sévère et l'incitèrent à éviter l'emploi du pronom « je ». « Nous » avons décidé, prenait-elle soin de dire. Ce choix politiquement correct perdit toute sa portée lorsqu'un beau matin de 1989 la Dame de Fer apparut au Dix Downing Street et annonça la naissance de son premier petit-enfant, proclamant à l'ensemble de la presse ébahie : *We have become a grandmother,* « *Nous* sommes devenue grand-mère ».

Quant au « nous » pluriel, son emploi est aussi loin d'être simple. Il y a plusieurs « nous » possibles. Il y a vous et moi, mais il y a également moi et eux, un « nous » qui vous exclut, vous, la personne à qui « je » parle. La langue des Cherokees propose différentes variantes de « nous » selon qu'il s'agit de « vous et moi », d'une « tierce personne et moi », de « plusieurs tierces personnes et moi » ou de « vous, une ou plusieurs tierces personnes et moi ». Lorsqu'elles évoluent sans influence d'autres cultures, les langues ont tendance à créer un nombre époustouflant de pronoms. Ainsi le tok pisin, parlé en Papouasie-Nouvelle-Guinée, dispose d'au moins sept pronoms à la première personne du pluriel : *Mitripela* pour « nous » lorsqu'il s'agit de deux autres personnes et moi, mais pas vous – ou le plus intime *yumitripela* – lorsque vous, et deux autres personnes êtes de la partie.

Même le « nous » français est loin d'être la traduction exacte d'autres « nous » européens. Mlle Bridgewater nous enseigna à l'école qu'il s'agissait de la traduction pure et simple de notre *we*. Après de multiples échanges hexagonaux, j'ai fini par comprendre que mon ancienne maîtresse d'école ne nous disait pas toute la vérité. La plupart du temps, les Français boudent la première personne du pluriel ! Quel Français, par exemple, dirait spontanément à la personne qui va l'accompagner, « Y allons-nous ? » au lieu du facile « *On* y va ? »

Certaines langues se passent d'un mot pour « nous ». Non seulement les Irlandais n'ont pas de mot pour oui ou pour non, mais ils n'ont pas de « nous » non plus. On doit le deviner selon le contexte, à moins que ce pronom ne soit dit avec une emphase particulière, *Sinn Féin* par exemple signifiant « nous, nous-mêmes, ensemble ».

Des pronoms pour les poissons et pour les Divinités

Qu'en est-il de la troisième personne ? Il et elle. Simple ? Pas tant que cela ! 38 % seulement des langues du monde font la différence entre « il » et « elle ». Le finnois par exemple n'a qu'un seul et unique *hän*. D'autres langues multiplient en revanche les possibilités. Le norvégien a plusieurs variantes rien que pour « il ».

Il est toujours utile de faire référence à des situations extrêmes. Les tribus Pirahà du Brésil bouleversent nos préjugés car ils ont un pronom commun aux deux sexes, un autre pour les choses inanimées, puis un autre encore pour des « non-humains vivant dans l'eau » ! La langue mixtec au Mexique propose un pronom spécifique « surnaturel » réservé à Dieu qui n'a rien à voir avec le « il » ou « elle » du commun des mortels. Son emploi est réservé à Dieu, aux prêtres et aux nonnes ainsi qu'au Diable !
Même le mandarin impose un préfixe « spirituel » au moindre pronom dès lors qu'il s'agit

d'un être religieux, y compris pour le Dieu des chrétiens. Nous-mêmes avons nos propres habitudes ne serait-ce qu'épistolaires. Je frémis, en écrivant ces lignes, à l'idée de ne pas conférer à Dieu et à Son pronom la majuscule qui Lui est propre...

À part les Déités, le mandarin n'a qu'un seul et unique pronom, 他 (tâ), qui recouvre « il », « elle » et même le neutre « it » de l'anglais. Lors du Mouvement du 4 Mai qui marqua la naissance du nationalisme chinois, on décida d'inventer un nouveau pronom pour « elle » – « 她 ». Cette réforme s'alignant sur un vaste mouvement de modernisation fut assez paradoxalement inspirée par les pratiques occidentales. Les traditionalistes la rejettent toujours et refusent que ce pronom soit enseigné à l'école.

Plus proches de nous, les Espagnols connaissent depuis des siècles une vive polémique autour de leur troisième personne du singulier. Choisir entre *lo* et *le* n'est pas une mince affaire. Dans la phrase *Lo llevamos al hospital* (on *l*'emmène à l'hôpital) un Espagnol comprendrait que le patient était inconscient, car plus ou moins assimilé à un objet. Au contraire *le llevamos al hospital* signifierait que le malade était capable de marcher seul, même s'il était accompagné.

Les partisans du *leísmo* et du *loismo* se disputent toujours. Le *le* était plus répandu en Espagne jusqu'à ce que la Real Academia cessât de l'approuver dans les années 1850. Aujourd'hui encore ce pronom accusatif est considéré comme plus vulgaire que le *lo* dans certaines régions, surtout à Madrid. Le *leismo* a également ses défenseurs dont les plus fervents sont en Navarre, au Pays basque espagnol ainsi qu'au Paraguay. Si les Argentins sont globalement *leistas*, les Colombiens eux se disent *loistas*. Ajoutez à tout cela le fait que *le* désigne également « vous » et voilà qu'une phrase comme *no quisiera molestarle* peut signifier : « Je ne veux pas vous déranger », mais aussi « Je ne veux pas le déranger »…

Les pronoms homicides pour nos lectRices

Lorsqu'un homme et une femme font plus ample connaissance, il se peut qu'*ils* fassent l'amour. Pourquoi le masculin doit-il forcément l'emporter sur le féminin ? Le français est l'une des langues les plus sexistes en la matière.

L'anglais avec son « they », tout comme les autres langues voisines est un peu plus *gender-neutral.*

Dans les années 1970, des linguistes féministes américaines décidèrent d'éradiquer la moindre trace du sexisme dans la langue anglaise, à commencer par les modes d'adresse. C'est ainsi que l'on concocta le controversé « Ms. » pour remplacer « Mrs. » et « Miss ». La justesse de la cause a été quelque peu affaiblie par la difficulté de prononciation, se réduisant la plupart du temps à un bourdonnement hésitant autour du « s ». Plus révolutionnaire encore : il est désormais d'usage dans les cercles scientifiques anglophones de mettre systématiquement au féminin toute référence à des êtres dont le sexe n'a pas d'importance. Ainsi « chaque bébé peut apprendre à parler jusqu'à l'âge de sept ans, – après elle aura plus de mal… »

Les pronoms « neutres » concoctés dans le milieu académique américain dans les années 1990 sont moins répandus : *na* ou *per* ou *hesh*. Il m'a fallu un long moment pour comprendre que, pour ce dernier, il s'agit d'un mélange de *he* et *she*. Il est difficile de savoir avec quel degré de sérieux un certain Joel Weiss, linguiste américain, a proposé le disgracieux *h'orsh'it* qui regroupe à la fois les trois pronoms *he*, *she* et *it*. Sa laideur sur le papier n'est rien quand on sait que sa prononciation produit le plus parfait homonyme de « crottin de cheval ».

Le féminisme en linguistique produisit cependant quelques belles réussites. La Loi contre la discrimination sexuelle en Grande-Bretagne interdit ainsi de passer des annonces d'emploi avec une mention favorisant tel ou tel sexe. D'où les innombrables chair*persons* et business*people*. En Allemagne les tentatives d'harmonisation vont même plus loin. Sur les petites annonces affichées à l'entrée dans le supermarché « bio » à Berlin, on ne cherche plus comme dans le passé une *femme* de ménage, Putz*frau* mais une tonique *Putzkraft*, « une *puissance* nettoyante » !

Les Allemands font de leur mieux pour bousculer leurs habitudes linguistiques. Chaque publication allemande a ses *Leser* et *Leserinnen*, des *lecteurs* et des *lectrices*. Les journalistes du *Tageszeitung* (un peu plus à gauche que *Libération*) décidèrent dans les années 1990 de s'adresser à l'ensemble de leur lectorat sans présumer de son appartenance sexuelle. Ainsi ont-*ils* pris la forme féminine du pluriel, *LeserInnen*, tout en mettant un majuscule au milieu du mot sur le « i » comme astuce orthographique indiquant que le terme est employé de façon générique. C'est comme si *Libération* s'adressait à l'ensemble de ses *lectRices*.

Ces initiatives sont néanmoins jugées extravagantes et elles ont fini par dissuader même les plus enthousiastes des parti*Sanes*. À titre d'exemple, un trottoir en allemand se dit *Bürgersteig* : littéralement, citoyen-rampe. Il fut décidé par certaines municipalités que c'était un terme sexiste et que le sol avait le droit d'être foulé comme il se doit de manière totalement neutre. L'on proposa donc de parler dans les documents administratifs de *BürgerInnensteig*, abomination s'il en est, totalement intraduisible mais qui ressemblerait à une espèce de « citoyeNNe-rampe » !

Les Espagnoles proposent elles aussi des solutions innovantes, surtout depuis que le pays est devenu l'un des moins machistes en Europe avec un gouvernement comptant davantage de ministr*as* que de ministr*os*. On y utilise par exemple l'arobase asexué dans biólog@ ou, lorsque l'on s'adresse à l'ensemble des concitoyens et concitoyennes : « ¡ Ciudadan@s ! On a même été jusqu'à proposer l'emploi du symbole anarchiste : escritorⒶs. Mais comme pour le Ms. Anglais, personne ne sait comment il faut dire ces nouvelles formules…

Le Canada se distingua des autres pays en s'attaquant, dès 1916, au problème des pronoms sexistes. À l'époque les femmes n'étaient même pas considérées comme des « personnes ». Emily Murphy tenta, en vain, d'être la première femme à accéder au rang de magistrat. Selon la loi le titre de « magistrat » était réservé à des *persons*, ce dont Ms. Murphy apparemment n'était pas. Elle chercha alors à se faire élire sénatrice. Mais en dépit de 500 000 signatures, on lui rappela que les femmes n'avaient ni droits ni privilèges, et surtout pas celui de siéger au Sénat.

Ce ne sont pas que de lointaines querelles. Dans les années 1990 une polémique éclata en République d'Irlande. La Constitution évoque le Président en ne *le* désignant que par le pronom « il » alors que pendant une décennie les Irlandais choisirent non pas une mais deux présidentes. On tenta de démontrer que le recours au pronom masculin excluait d'office l'idée que ce poste puisse être occupé par une femme. La plainte fut rejetée et les instances juridiques défendirent leur décision en expliquant de façon fort bizarre que le pronom *he* était sexuellement neutre...

Que dire alors du sexisme qui est inhérent à la structure même du japonais ? L'une des fonctions essentielles de cette langue est de bien mettre en évidence le rang qu'occupe l'interlocuteur dans la société et de déterminer le niveau de politesse convenable à utiliser. Les Japonais ont ainsi des « mots pour hommes » et des « mots pour femmes ». L'usage veut que la femme parle poliment, de façon même soumise. On comprend pourquoi les rares patronnes japonaises ont du mal à asseoir leur autorité, car le vocabulaire même dont elles disposent milite contre elles.

Elles doivent jongler sans cesse entre un langage féminin inconcevable si l'on tente de s'imposer, et un langage masculin dont l'emploi les expose à la moquerie.

N'oublions pas aussi les problèmes auxquels doivent faire face les écrivain(e)s de romans policiers. Comment ne pas vendre la mèche en précisant l'identité *du* ou *de la* coupable ? Il existe quelques astuces, notamment ce que l'on peut appeler le *they* homicide en anglais. Lorsqu'une personne est tuée à coups de candélabre dans les romans d'Agatha Christie, « ils » (they) s'enfuient sans se faire remarquer. Le pluriel désigne une seule personne, aussi insoupçonnable qu'asexuée...

Qui pleut ?

L'identité de nos pronoms personnels est ainsi souvent douteuse. Prenez le dénommé « il ». À première vue, ce pronom ne fait qu'annoncer la présence d'un seul représentant de l'espèce en laissant supposer son inhérente virilité. Mais ce n'est pas toujours le cas. Regardez par la fenêtre. Il pleut ? Il fait beau ? Qui est ce « il », lui qui détermine la clémence du ciel ? Dieu ? Que fait-*il* là ?

Un cas encore plus bizarre. *Il* est cinq heures. Puisque la grammaire, tout comme le temps qu'il fait, se doit de nos jours d'être *gender-neutral*, pourquoi ne pas dire après tout « elle pleut » ? La raison est évidemment grammaticale. Contrairement à la plupart des langues, le français et l'anglais ne supportent pas que des verbes n'aient pas de « sujet ». Une action ne doit pas pouvoir s'accomplir sans la présence d'un acteur ou d'une actrice. Nous préférons inventer des « ils » hypothétiques, dénués de tous sens, pour ne pas laisser nos pauvres verbes seuls au début de nos phrases. Pourtant nos voisins les plus proches, l'espagnol et l'italien, s'en passent très bien : *llueve*, pleut pour le premier, *sono le cinque*, sont les cinq en italien.

Me reviennent en mémoire toutes ces phrases dans le métro parisien où les infortunés passagers sont « tenus d'obtempérer aux injonctions », car *il* vous est strictement, formellement, rigoureusement, parfois même expressément interdit de faire telle ou telle chose. La présence un peu menaçante d'un prescripteur dans la phrase est peut-être révélateur des relations gouvernants-gouvernés en France. En revanche, il manque à l'anglais toute suggestion d'une autorité capable de décréter de telles prohibitions, et encore moins d'égrener une telle panoplie d'adverbes tous plus alarmants les uns que les autres. *Il* n'y a pas d'interdit, juste une absence de possibilité. *No exit* : il n'y a *pas* de sortie. Le gaélique va encore plus loin puisqu'il se limite à l'emploi de la voix passive. Celle-ci évoque une sorte de refus accepté par la société. Dans les pubs de Dublin on peut lire *Ná caitear tobac*, fumer est tout simplement quelque chose « qui ne se fait pas »…

Les Chinois sont plus étonnants encore. Non seulement ils ne conjuguent pas leurs verbes la plupart du temps mais ils se passent de pronoms, comptant une fois de plus sur le bon sens de l'interlocuteur. Le mandarin dirait par exemple, « Sarkozy arriver en Chine. Venir Beijing, visiter usine, saluer Premier Secrétaire du Parti. » L'agenda présidentiel n'échappera à personne.

Beaucoup d'igloos et des chameaux qui huitent

Entre l'absence de « oui » et de « non », l'inexistence de différents articles et l'usage complexe des pronoms, nos certitudes tombent, les unes après les autres. Il doit tout de même y avoir quelques fondations solides, des certitudes partagées par l'ensemble de nos langues ? Les chiffres, les numéros et les nombres par exemple ?

Les chiffres ont une magie particulière. C'est toujours avec une certaine fébrilité que je barre mes chiffres 7. Je regardais quand j'étais enfant

74

« Jeux sans Frontières », une sorte d'Intervilles à l'échelle européenne dans les années 1970. L'arbitre inscrivait à la craie les scores du fil rouge au milieu du brouhaha des klaxons. Il barrait ces 7 avec application et je l'ai toujours imité. Sur le chiffre 1 il posait aussi une extravagante crête qui semblait au petit téléspectateur britannique que j'étais, (visiblement en mal d'émotions fortes à l'époque), d'une insolence toute… continentale ! Jusqu'à aujourd'hui, le fait de barrer mes 7 me procure des frissons d'insurgé, tant ce geste est évocateur de mes révoltes d'enfant et de mes envies d'ailleurs.

Francophones et anglophones, nous parlons du chiffre vingt-cinq mais les Allemands eux préfèrent dire cinq et vingt et ainsi de suite avec tous les numéros jusqu'à l'infini… Mais en France tout n'est pas simple non plus ! Lorsqu'un Français laisse sur mon répondeur son numéro de téléphone, ce dernier est composé d'une suite terrifiante de chiffres allant de soixante-et-onze jusqu'au terrifiant quatre-vingt-dix-neuf. Pourquoi un pays si attaché à la raison et à la logique procède en la matière de façon si compliquée : c'est un mystère !

En dehors de ces particularités, la frontière entre le singulier et le pluriel paraît solide. Pourtant elle aussi donna matière à polémiques : dans l'une d'entre elles 3 billions et demi de dollars étaient en jeu. Ils concernaient le montant de l'assurance payable à Larry Silverstein, le bailleur du site du World Trade Center à New York. Ses contrats d'assurance stipulaient qu'il devait toucher l'intégralité de cette somme pour chaque *destructive event*, « chaque événement destructeur ». On imagine l'éloquence déployée par ses nombreux avocats qui se sont efforcés de prouver que le 11 Septembre constituait non pas un *event*, mais deux *events* bien distincts.

Mais, dans la majorité des cas, les choses semblent claires. Soit il y a une seule chose, que l'on met au singulier, soit il y en a davantage, et c'est le pluriel qui est utilisé ! Qui ne pourrait être d'accord avec une vision aussi basique du monde ? Rien de moins qu'un grand nombre d'habitants...

En arabe, et dans certaines langues slaves, il y a le singulier « un », une deuxième catégorie « deux », suivie par tout ce qui compte plus de deux éléments. Le monde est ainsi divisé entre le singulier, le duel et le pluriel. Cela donne, pour prendre un exemple pittoresque en provenance de la langue des Esquimaux : un « iglu », deux « igluk » et toute une rangée d'« iglut » !

Certaines langues ont aussi des systèmes de comptage différents en fonction de ce qu'ils comptent. Le nicobarese est une langue avec

76

certains chiffres lorsque l'on compte l'argent ou les noix de coco, puis d'autres chiffres pour tout le reste. La tribu Yurok de la Californie a même quinze systèmes de numérotation, dont l'un est réservé aux doigts ! À l'intérieur d'une seule et même langue, le même chiffre désigne aussi parfois de façon déconcertante une quantité différente. Comment les Anglais et les Américains se sont-ils débrouillés pour attribuer le mot « trillion » à 10 000 000 000 000 en Grande-Bretagne ou à la même somme avec six zéros en plus aux États-Unis !

D'autres langues sont encore plus compliquées. On connaît déjà le penchant des Russes pour la surenchère sémantique, mais pourquoi ont-ils décidé que les substantifs devaient non pas se mettre au pluriel mais au *génitif singulier* lorsque le nombre des objets était situé entre 2 et 4, et lorsque leur nombre dépassait 4, au *génitif pluriel* ? Je ne sais plus si c'est cette règle d'une bizarrerie époustouflante ou la déclinaison invraisemblable du mot « œuf » qui a fait qu'un bel après-midi d'été je fermai avec résignation mon « manuel de la langue russe » en citant mon amie américaine qui me disait *life is too short !*, la vie est trop courte !

En serbo-croate, un objet est différent selon que l'on peut le compter ou non. Les feuilles se

77

disent *lišče* si on les désigne collectivement : « les feuilles tombent des arbres », ou *listovi* si elles tombent des branches et que l'on soit en mesure de les énumérer. Plus énigmatique encore, le hongrois. Il existe des terminaisons pour le pluriel, mais il refuse de s'en servir ! *Virág* signifie une fleur. Le mot possède bien sa forme au pluriel : *virágok*, fleurs. Pourtant, si l'on précise le nombre exact de fleurs, ce n'est plus la peine d'utiliser le pluriel. Beaucoup de fleurs se dit *virágok* mais 30 fleurs revient à une simple fleur *virág*. Doit-on s'en étonner de toute façon à propos d'une langue qui transforme souvent dans ses guides touristiques les Tuileries en Tuileriàk !

Face aux nombres, l'allemand fait un lifting des voyelles principales des substantifs et y ajoute les deux points du *umlaut*, littéralement son tranformé. Il transforme le « o » de *Tochter*, sœur, en « ö » plus proche d'un *bœuf* à la française. Cela peut affecter tous les « a », les « o » et les « u » solitaires et singuliers de la langue. Parmi les explications les plus idiosyncratiques de ce phénomène, il y a celle du linguiste Henry Swett qui avança assez sérieusement, dans l'un de ses cours de phonologie au début du XXᵉ siècle, que cette « umlautisation » des voyelles était le résultat de « la réticence des Allemands à ouvrir la bouche plus largement face aux vents frais de la partie nord du continent... »

La vie est tellement plus simple chez les Chinois, et même – pour une fois – chez les Japonais. Ils n'ont pas de marqueur particulier comme nos « s » pour le pluriel des substantifs. Ils préfèrent utiliser des mots comme « beaucoup » ou de simples chiffres pour ceux qui n'auraient pas compris qu'il s'agit d'un pluriel.

Privés des marqueurs occidentaux du pluriel, d'autres langues asiatiques ont quelques astuces linguistiques fort sympathiques comme le dédoublement. En mandarin *Jên* est un « homme », *jên-jên* sont *tous* les hommes, – *t'ien* un jour, *t'ien-t'ien*, tous les jours. Plus croustillant encore : *ha-ha* est, aussi incroyable que cela puisse paraître, la façon dont les Chinois désignent « le rire ». Tout aussi attachant, le japonais : *hito* pour une personne, *hitobito*, une foule. *Ware* est l'un des nombreux mots pour « je », *wareware* l'un des nombreux mots pour « nous ». L'indonésien *orang* signifie une personne et *orang-orang* une multitude.

Parmi les systèmes les plus inattendus pour dénombrer les choses de la vie courante, la langue de la tribu Kiowa a une particule inoffensive – *go* dont le rôle est de s'ajouter à tous les mots lorsqu'on veut signaler que l'on a affaire au *contraire* de ce qu'on aurait attendu !

On est loin de la langue des Sesotho au Bantu qui propose une suite de chiffres allant de un à six, puis qui décline de manière imprévisible tout ce qui est entre 6 et 9 sous forme verbale ! 4 chameaux : ce sont quatre chameaux, mais dès lors qu'il y en a le double, les chameaux *huitent*... Le krongo va plus loin encore, éliminant tous les numéros et confiant aux seuls verbes le soin de tout énumérer. Ainsi les chameaux « troisent, quatrent, cinquent »

Considérons pour finir le point mort dans l'énumération : le zéro. Saviez-vous qu'il n'existait pas en Europe jusqu'au Moyen Âge ? Il y fut introduit par les Arabes. Aujourd'hui encore, les attitudes face au néant numérique divergent. En anglais et en allemand le « chiffre » zéro est considéré comme un pluriel, ce qui semble assez paradoxal : *I have zero books.* Pareil dans d'autres langues pourtant d'origine latine comme l'italien, l'espagnol et le portugais. Seul le français va dans le bon sens : Zéro livre !

La notion même du singulier et du pluriel n'est pas si évidente lorsque l'on y pense. Ce qui passe pour être un ensemble de différents éléments chez les uns demeure une entité unique chez les autres. Lorsque je suis à Berlin, dans des moments de grande fatigue je suis tenté, en cherchant mes lunettes ou mon pantalon, de mettre chacune de ces choses au pluriel, comme l'exige l'inconscient linguistique de ma langue maternelle. En allemand les deux sont en revanche au singulier, contrairement au français où le pantalon est au singulier, les lunettes au pluriel.

L'un des « trucs » des professeurs d'anglais en France est de piéger leurs élèves sur ces exaspérants « indénombrables » dont raffole l'anglais. *Luggage* signifie déjà *les* bagages, qu'il faut morceler en « a *piece* of luggage » pour n'en avoir qu'un seul, car *luggages* est impossible en anglais. « *The news is good* » en anglais et « *information* », qui signifie d'ailleurs plutôt « renseignements », ne prend jamais de « s ». Demandez en anglais des *renseignements* sur vos *bagages* et vous risquez une belle embrouille linguistique sur le tapis.

Parlez-moi avec l'inceptif, et non l'inchoatif !

Nos soi-disantes certitudes linguistiques risquent de s'écrouler puisque nous allons dès à présent nous attaquer aux verbes. En Europe nous les affublons de toutes sortes de fioritures, afin qu'ils endossent nos moindres caprices, doutes et états d'âme. Cela varie de la certitude du présent aux subtils méandres de nos supputations subjonctives. Nous les aimons actifs, passifs voire parfois gérondifs ! Me revient en mémoire le sourire de Mlle Bridgewater dès que l'un de ses nombreux verbes français fétiches refusait de se plier aux règles établies.

Tout d'abord, les verbes : sont-ils vraiment aussi nécessaires que l'on croit ? Il existe une langue en Australie, le jingulu, qui n'en dispose que de trois : « venir », « aller » et « faire ». Tout le reste n'est qu'une simple variation sur ces thèmes. Dormir c'est *aller* vers le sommeil, manger c'est *faire* moins faim, et aimer c'est *venir* vers quelqu'un. D'autres langues utilisent leurs verbes de façon surprenante. Certaines langues amérindiennes les utilisent pour décrire les relations familiales. Plutôt que de dire qu'elle *est* ma tante on dirait : « Gertrude *me tante* ».

En Europe, les verbes ne manquent pas. Je n'ai jamais appris le bulgare mais le descriptif qui suit ne m'y invite guère.

« … Les verbes bulgares sont conjugués selon les personnes, le nombre et les genres. Les verbes sont différents selon qu'ils décrivent des actions incomplètes ou des actions terminées. Vient s'ajouter une troisième catégorie réservée à un état intermédiaire. Tout en étant imperfectifs, ces verbes conservent le sens perfectif de la première catégorie, et malgré sa forme, l'imperfection est connotée seulement dans un sens grammatical. »

Mais quittons un instant la grande famille indo-européenne, pour nous intéresser à des structures verbales encore plus complexes. La conjugaison des verbes du najavo comporte des « nuances » aussi fascinantes qu'impénétrables. On reste perplexe devant la variété de modes tels les perfectif, imperfectif, progressif, fréquentatif, itératif, optatif, continuatif, duratif, complétif, statif, inceptif, prolongatif, inchoatif, sériatif, distributif, diversatif, crusif et répétitif pour finir sur le conclusif et même le mode *réversatif* !

De vastes pans de l'humanité sont en revanche réticents à la moindre conjugaison. Une fois de plus, le mandarin semble d'une simplicité confucéenne, se contentant d'un petit mot inséré dans la phrase (l'inoffensif « lé ») qui indique que ce dont on parle est au passé. Les Japonais affectionnent tout particulièrement la complexité linguistique mais la conjugaison de leurs verbes est beaucoup plus simple que la nôtre. Ils n'ont pas de futur à proprement parler, et ils utilisent le présent pour tout ce qui se passe non seulement aujourd'hui mais aussi demain. L'appellation grammaticale pour cette forme verbale en dit long : il s'agit tout simplement du « temps qui n'est pas dans le passé ».

En Afrique les langues ne se réfèrent pas à nos divisions du temps. Les langues du Niger-Congo de l'Afrique de l'Ouest n'ont pas le concept du passé. D'autres font la distinction entre le futur et le non-futur, englobant le présent et le passé dans le même cadre temporel. Le zulu en revanche conjugue ses verbes différemment selon que l'action se déroule au passé vraiment lointain, au passé un peu lointain ou encore au passé plus récent.

En Europe aussi les rapports entre le passé récent et le passé plus lointain ne sont pas simples. L'un des pièges de l'anglais est la différence entre le passé composé, *Gertrude has eaten the cake*, et le passé simple, *Gertrude ate the cake*. En français, le gâteau a été consommé quoi qu'il en soit car Gertrude « l'a mangé ». En anglais l'emploi du passé simple ou composé dépendra des « conséquences présentes ». Par exemple Gertrude a l'air toute contente car elle a mangé son gâteau. Mais cette règle que doit apprendre tout lycéen français saute par la fenêtre dès que Gertrude consomme ses muffins aux États-Unis. Là-bas le passé simple remplace la forme britannique avec *have*.

En Allemagne, il y a également un prétérit et un passé composé, mais là la différence est géographique. Les deux formes sont répandues dans le nord du pays, et leur emploi dépend plus ou moins des mêmes règles que l'anglais. Le passé simple est boudé en revanche en Bavière où son usage paraît plutôt guindé.

Il y a aussi ces verbes aux significations multiples, si multiples que l'on peut se demander s'ils ont un sens ! Je pense au verbe espagnol *echar*. Le sens semble être « jeter » mais on s'en éloigne rapidement lorsqu'on *verse* des jus de fruits dans un verre, lorsqu'on *dispense* une réprimande, lorsqu'on *poste* une lettre, qu'une plante *laisse pousser* ses feuilles, qu'on *vire* quelqu'un, qu'on *freine* une voiture, qu'on *devine* l'âge de quelqu'un, qu'on *discerne* l'avenir dans les cartes, qu'on *se met* à pleurer ou à rire, que l'on *fait* un somme ou même lorsqu'on est un oiseau que l'on *pond* des œufs. Toutes ces expressions comportent le verbe *echar* selon mon dictionnaire d'espagnol.

Les langues du Nord ont moins la manie de conjuguer leurs verbes que leurs sœurs latines. Cette délicatesse à l'égard de tous ceux qui essaient de les apprendre est hélas balayée par l'accumulation de postpositions dont les nuances sont très souvent impénétrables. Prenez « make *up* » en anglais. Selon le contexte cela peut signifier : 1. Inventer une histoire, 2. Se réconcilier après une dispute, ou 3. Maquiller quelqu'un. « Make *out* » navigue quant à lui dans des eaux troubles entre « distinguer quelque chose dans le noir » et « rouler une pelle à quelqu'un », deux activités qu'il serait prudent de ne pas confondre.

En effet l'une des caractéristiques de la langue anglaise, c'est cette passion pour les post et prépositions. Nous devons cette manie à nos lointains ancêtres germaniques. Je défie l'élève le plus doué en anglais de comprendre la phrase qui suit : « C'est l'histoire d'un petit garçon qui demande à sa mère pourquoi (what *for*) elle a monté (bring *up*) un livre qu'elle a l'habitude de lire (read *out of*) à propos de (*about*) l'Australie (que l'on appelle avec tendresse « *down under* », là-bas et en bas) ». Cette phrase n'accumule pas moins de huit de ces monstres… *What have you brought that book I don't like being read to out of about Down Under up for ?*

Les puristes exhortent les infortunés écoliers britanniques à « ne jamais terminer leur phrase par une postposition », défi impossible à tenir étant donné l'héritage germanique de notre grammaire. Un exemple suffit pour illustrer combien il convient de damer le pion à ce genre de pédanterie. Un étudiant américain perdu dans les rues d'Oxford demanda à un professeur où se trouvait la bibliothèque, mettant la préposition à la fin : « where's the library *at* ? » Le professeur lui conseilla de terminer sa phrase autrement. Alors l'Américain lui répondit : « where's the library at, *arsehole* ? (« connard ? »)

Si l'on veut encore trouver des points communs à toutes les langues, il faut éviter les prépositions comme la peste. On cherchera en vain un sens commun à ces particules nomades. Quel est le sens de « à » en français ? L'on peut rouler une pelle *à* quelqu'un, lorsqu'on est *à* Paris et *à* bout de souffle, et *à* défaut l'on va commencer *à* s'attacher *à* la personne en l'embrassant *à* bouche que veux-tu. Mais en français, l'emploi des prépositions est relativement stable. C'est nettement plus flou en anglais. Afin de faire face à cette « anarchie prépositionnelle » un livre vient de sortir aux États-Unis intitulé *Sauvons nos prépositions, un guide pour tous ceux qui perdent pied* !

Des pandas, du ha ! ha ! et du ¿

Si les Américains sont *perplexed* et se soucient de l'évolution de leurs prépositions, les Britanniques le sont davantage encore en ce qui concerne leur ponctuation. L'un des best-sellers récents en Grande-Bretagne est signé par Lynne Truss, une journaliste de la BBC qui est partie en guerre contre les égarements actuels en matière de ponctuation.

Le titre de son livre est presque intraduisible : *Eats, Shoots and Leaves*. Il fait référence à la définition du panda dans le dictionnaire où la présence d'une seule virgule mal placée fait que celui-ci se croit obligé de tirer sur tous les clients d'un café plutôt que d'y manger des pousses et des feuilles. Ms. Truss dédicace son livre aux imprimeurs de St. Petersburg. Ceux-ci étaient rémunérés selon le nombre de signes imprimés et ils firent grève en 1905, exigeant d'être payés au même tarif pour les marques de ponctuation que pour les lettres. Leur révolte contribua largement au début de la Révolution russe.

J'écris ce livre à Berlin, où je prends souvent le U-Bahn, le métro de la capitale allemande. J'ai remarqué l'autre jour une affiche en trois langues, invitant vivement les passagers de la ligne 2 à ne surtout pas descendre sur la voie en cas d'arrêt.

Cette injonction est accompagnée de points d'exclamation, obligatoires en allemand pour bien terminer non seulement un ordre mais aussi une phrase à valeur informative. *Achtung ! Todesgefahr !*, « Attention, danger de mort ! »

Cette phrase est traduite en anglais et en français. On y a inclus les points d'exclamation : « Attention ! Danger de mort ! » et *Be careful ! Death may result !*, qui apportent une frivolité hors sujet.

La ponctuation dans la langue de Goethe est régie par une série de règles incontournables. Au début d'une lettre par exemple, le « cher Hans » sera forcément suivi par cette marque à nos yeux plutôt exubérante : *Lieber Hans !* Un point d'exclamation qui laisse présager des révélations croustillantes, qui hélas, ne viennent pas.

Ces points d'exclamation font aussi irruption de façon inattendue. Il existe une ville anglaise dans le comté du Somerset qui porte le nom de Westward Ho ! Le point d'exclamation fait bel et bien partie de l'orthographe officielle de la ville. Comme si les habitants de Melun ! ou de Besançon ! devenaient tout à coup plus guillerets, un peu à l'instar de Châlons-sur-Marne qui réussit à rendre son image plus pétillante en se rebaptisant Châlons-en-Champagne.

Des exemples existent même en terre franco-phone. Il y a une ville au Québec qui s'attribue non pas un, mais deux points d'exclamation : Saint-Louis-du-Ha ! Ha ! La très sérieuse Commission de la Toponymie du Québec justifie cette curiosité, en expliquant qu'autrefois un *haha* était une impasse. Le nom a été donné par quelques kanoé-kayakeurs du XVIIIᵉ siècle, échoués dans ce coin perdu pendant un hiver qu'on peut supposer rigoureux puisqu'il ne leur permit pas de trouver d'occupations plus captivantes.

La ponctuation est toujours source de petites merveilles. L'on sait que les Espagnols mettent leurs points d'interrogation et d'exclamation sur la tête, ¿ et ¡, mais saviez-vous que l'arabe le met carrément dans l'autre sens ؟ tout comme ses virgules qui sont des ،.

Le grec, lui, n'a pas de point d'interrogation mais utilise à la place un symbole qui ne nous est pas inconnu mais que nous utilisons différem-ment. Le saviez-vous ;

Terminons cette partie sur la ponctuation et ce chapitre par ce qui constitue sans doute l'échange le plus direct de l'histoire de la correspondance, toutes langues confondues. Victor Hugo voulait s'enquérir des ventes des *Misérables* en 1862. Sur

la carte postale envoyée à sa maison d'édition, il marqua simplement :
?

... Sur quoi son éditeur lui répondit :
!

Isabel

Isabel est née à Cuba, d'une mère d'origine espagnole. Son père est le fils d'immigrés russes juifs. Elle a grandi aux États-Unis, a vécu quatorze ans en France avant d'émigrer vers le Brésil. Son dépaysement est inscrit, en dépit des différentes langues qui courent dans ses veines, dans la langue de son pays et de sa mère.

Isabel passe sans cesse de l'espagnol à l'anglais, le français, le portugais, l'italien et l'arabe même pour lequel elle dit avoir « une tendresse ». « C'est salutaire : cela oblige à changer nos codes et à secouer nos manières de penser. Le fait de connaître plusieurs langues fait de moi un être *all-encompassing*. Une langue ce n'est pas une façon de penser, c'est l'ancre, l'*encre* aussi, ajoute-t-elle, surprise de sa trouvaille, de notre vie affective. »

Elle fut longtemps journaliste à Paris et c'est là que je fis sa connaissance. Les journalistes déracinés que nous étions accumulaient des missions dans les domaines les plus divers. Notre intérêt pour tel ou tel sujet était la plupart du temps en rapport avec nos besoins financiers. Elle apparut un jour vêtue d'un long manteau à la sévérité voulue et qui contrastait avec le grand rideau de velours pourpre à l'entrée du café Beaubourg.

Elle m'expliqua qu'elle était devenue correspondante financière pour Bloomberg. L'envolée du CAC et du Nazdac dont elle était chargée de rendre compte sur l'écran schizophrénique de cette chaîne semblait en parfaite adéquation avec son désintérêt profond pour le sujet. Nous sommes partis dans un fou rire incontrôlable lorsqu'elle régurgita le charabia qu'elle était censée ânonner. Peu de temps après, elle rentra à Miami où elle écrit à présent des pièces de théâtre sur la révolution cubaine, en espagnol, cette langue qu'elle a, dit-elle avec insistance, « apprise par cœur ».

L'espagnol est la langue « que j'ai entendue dans le ventre de ma mère. Lorsque j'avais quatre ans mes parents ont émigré aux États-Unis et j'ai plus ou moins oublié cette langue jusqu'à l'adolescence. Malgré le fait que l'anglais a pris la place de l'espagnol dans mon éducation, l'espagnol est sans conteste plus enraciné en moi. C'est la langue de mes rêves et de mes espoirs, et surtout, le langage de mes larmes. Lorsque je pleure, je pleure en espagnol. Lorsque je vois un enfant ou un animal, je leur parle en espagnol. C'est la langue qui jaillit naturellement de mon cœur, de façon fluide et naturelle. L'espagnol, c'est de l'émotion pure ».

Même si son anglais est celui d'une autochtone, lorsqu'elle dit *I love you*, elle ne ressent pas grand-chose. Si elle dit *te quiero* ça la bouleverse. « Je le sens *veramente*. Lorsque je parle espagnol, je suis plus sentimentale. Si je disais en anglais la moitié des choses que je peux dire en espagnol, l'on me prendrait pour une folle dotée d'un goût douteux pour le mélodrame. Aux États-Unis on dirait que je suis beaucoup trop *touchy-feely* : trop de senti-mentalité, trop de proximité malvenue… »

« L'anglais est une langue pour la précision, le business, c'est hélas, Isabel rigole en touillant son café, la langue où l'on est de plus en plus réduit de nos jours à faire du "twitter". Les langues latines sont moins linéaires, elles sont des spirales. La vérité d'une langue, ajoute-t-elle après un temps de réflexion, est dans la façon dont l'on dit au gens d'aller se faire voir. La langue arabe est parfaite pour ça, car l'on peut damner son ennemi de façon éternelle en le traitant de "fils de soixante chiens", "Que tes dents tombent toutes, à l'exception de l'une d'entre elles, et que celle-ci puisse te faire éternellement mal !" »

Lorsque je lui demande son mot préféré en espagnol, la réponse est immédiate : *luz*, la lumière, « beaucoup plus éclatante dans cette langue, comme la foudre de Zeus ! Les mots de l'être sont infiniment plus profonds, dit-elle. À commencer par *corazón*, le cœur ». Sa main tape, puis se place à ce même endroit pour m'en convaincre. « Plus que dans d'autres langues on entend les battements dans la voyelle finale qu'il faut appuyer, tout en le nasalisant légèrement, comme font les Portugais, avant que ce murmure ne descende au plus profond de son âme, *su alma*, ce nuage nébuleux…

Je lui demande aussi quel est le plus beau mot intraduisible. Le résultat est une surprise, tant son existence semble évidente « mais aucune autre langue que le français ne possède ce mot d'une merveilleuse concision » : voilà !

2.

Les mots

De l'eau, de la neige et de la Barbe

Les Japonais n'ont pas de mot qui corresponde à « eau ».

« *What planet are they on ?* » Sur quelle planète vivent-ils ? s'interroge mon amie américaine. Une planète où l'eau froide, *mizu,* n'est pas la même « chose » et ne partage donc pas le même « nom », que l'eau chaude, *yu* !

L'eau préparée par une geisha n'est pas non plus la même « eau » si elle est chauffée par un lutteur de sumo. La geisha ne prépare son thé ni avec du *mizu* ni avec du *yu* mais plutôt avec du *omizu,* l'un des nombreux « mots pour femmes ». Ensuite, que font les Japonais avec leurs différentes « eaux » bouillies ou non ? Ils boivent, certes, mais au Pays du Levant le verbe qui correspond le plus à notre idée de « boire » englobe également le fait d'avaler des gélules... et de fumer.

Comme dit Wittgenstein, « les limites de nos langues constituent les limites de notre monde ». Chaque langue nous permet de concevoir le monde selon ses propres structures et conceptions grammaticales lesquelles, nous l'avons vu dans le dernier chapitre, sont assez divergentes. Il existe des langues, rares certes, comme le itsekiri au Nigeria, dont le mot pour désigner des objets dépend de l'heure de la journée. Le sang, le feu ont des noms différents selon qu'on en parle le jour ou la nuit. Il y a d'autres langues, comme le yup'ik où le nom d'une chose change en fonction de la place qu'elle occupe dans le temps. Le mot pour maison a des formes différentes par exemple si l'on en parle au présent, au passé ou dans l'avenir. La même maison que j'habitais hier et que j'habiterai demain n'est pas considérée, et surtout n'est pas *nommée* de la même façon...

Dans ce chapitre nous allons examiner de plus près ces mots, à qui nous demandons d'être les porte-parole de nos idées et de nos émotions. Nous pourrions commencer par rappeler le nombre de mots en esquimau pour désigner la « neige », un exemple souvent cité qui démontre bien l'importance du vocabulaire dans notre conception du monde. Mais cet exemple n'est qu'un mythe car les Inuits n'ont pas plus de mots pour neige que nous, ils décrivent juste la neige autrement. Le verglas sur les routes devient en anglais de la simple glace noire, *black ice*. Les Anglais ont en revanche un mot délicieusement adapté, mais difficilement traduisible : il s'agit de *sludge* qui évoque par sa laideur phonétique ce mélange de boue et de neige brunâtre au bord des routes en hiver. Les idées reçues fondent.

La plupart des langues ont un seul mot pour « nuage ». Ceux qui passent plus de temps les yeux rivés au ciel ont en revanche recours à bien d'autres mots. En Papouasie-Nouvelle-Guinée un « nuage » n'est pas un « nuage » s'il est un cumulo-nimbus, mot réservé chez nous aux bulletins météo et aux remarques sarcastiques de certains invités français à qui l'on sert un thé anglais avec trop de lait.

Comme le dit Roméo à Juliette « une rose, même si elle portait un autre nom, aurait le même parfum ». Certes, ce n'est pas parce que l'on change son nom que la nature de l'objet change. Pendant la Première Guerre mondiale les « bergers allemands » anglais furent transformés en « alsatians ». Les Américains transformèrent eux leurs *sauerkraut* et *hamburgers* en *Liberty cabbage* (choux de la liberté) ou en *Salisbury Steaks* pendant la Seconde Guerre mondiale et leurs *French fries* en frites de la liberté pendant la guerre en Irak.

Le phénomène inverse existe aussi. Par solidarité avec la position du président français sur l'intervention américaine en Irak, en 2003 l'université de Magdeburg en Allemagne a suggéré que l'on remplace certains américanismes par des mots, ostensiblement français. Il a été fortement question à l'époque que les Allemands ne portent plus un *tee-shirt* mais einen *Tricot* et qu'ils n'aillent plus dans des parties mais dans eine *Fête*. Cette suggestion sympathique n'a pas pris.

Plus on fouille dans le dictionnaire, plus on constate à quel point notre vision du monde est totalement dictée par les mots dont nous disposons. C'est uniquement en se heurtant à d'autres langues que l'on se rend compte des limites mais aussi des prouesses et des possibilités uniques de la sienne.

Nous avons déjà fait connaissance avec les Indiens Navajos et leurs verbes inattendus. Leur vision du monde, leur vocabulaire, enrichis depuis des siècles dans le désert de l'Utah, à l'écart de toute influence extérieure, sont forcément très différents des nôtres. La preuve, leur langue ne dispose pas de mot pour « porte » ! Leurs *wigwams* en étaient singulièrement dépourvus, du moins dans le sens d'une barrière rigide telle que nous la concevons. Il leur fallut donc concevoir tout une périphrase lorsqu'ils se heurtèrent pour la première fois à cette subtilité du monde moderne qui n'est autre qu'un « plancher solide établissant un chemin horizontal lequel empêche de sortir sans entrave vers l'extérieur ».

Cette conception du monde très différente, et ce vocabulaire spécifique se révélèrent précieux pendant la Seconde Guerre mondiale. En 1943 les militaires japonais avaient pris possession de l'archipel de Bismarck dans le Pacifique. Les avions américains tentèrent à plusieurs reprises sans succès de prendre son principal port, Rabaul. Il était désigné par les pilotes américains comme le « point mort », tant leurs avions étaient une cible parfaite pour la défense japonaise. Il était évident que les Japonais arrivaient sans mal à déchiffrer tous les codes secrets des Marines.

Ceux-ci eurent l'idée originale de faire appel à onze Indiens Navajos afin de mettre au point un nouveau code. Les cryptographes japonais ne comprirent mot ! Grâce aux messages indéchiffrables envoyés par les Navajos, l'archipel fut pris. Cet épisode fut le sujet du film *The Windtalkers*, « Les Messagers du Vent », de John Woo, sorti en

2002. Le président Reagan a même consacré une journée nationale à ces Navajos, le 14 août.

On comprend la confusion des Japonais en découvrant les bizarreries de la langue navajo. Ne serait-ce que la façon dont ils nomment certains pays du monde : l'Australie étant *Chas-yes-desi*, « le chapeau enroulé », la Grande-Bretagne, *Toh-ta*, « Entre les eaux », et plus impénétrable encore : la France désignée comme *Da-gha-hi*, « la barbe » !

Allez voir là-bas si j'y suis, pour un oui ou pour un non

Allons à l'autre bout de la planète trouver un exemple différent qui révèle à quel point les langues témoignent des conceptions du monde très divergentes. Les Kuuk Thaayorre sont une communauté aborigène au nord de l'Australie. Leur langue ne dispose pas de mots pour droite, gauche, en avant, en arrière, ni pour tout ce qui définit l'espace directement autour de soi. Les Kuuk ne s'intéressent qu'aux points cardinaux : ils donnent l'impression d'avoir une boussole dans la tête. Rien n'est défini par rapport à eux-mêmes : ne comptent que les éléments fixes, comme le soleil et l'horizon. « L'assiette est au sud de votre bras et la crème chantilly est au nord-ouest de votre gâteau ! » On croit perdre le nord. Pas eux. Ils arrivent à s'orienter dans des lieux inconnus, et cela nettement mieux que ceux qui pensent en termes de gauche ou de droite. Cette façon de penser influe aussi sur leur notion du temps.

Des chercheurs leur ont présenté des images montrant le vieillissement progressif d'un homme, en leur demandant de les ranger par ordre logique. L'ordre chronologique semble s'imposer de façon évidente pour nous, la jeunesse à gauche, la vieillesse à droite ! On remarquera au passage que ceux qui parlent arabe ou hébreu feront le contraire. Les Kuuk, en revanche, disposent les cartes de l'est vers l'ouest, et cela *indépendamment* de leur propre emplacement. Lorsqu'ils font face au soleil levant, les cartes les plus jeunes démarrent vers l'horizon et se rapprochent progressivement de leurs corps. Face au nord, les cartes vont de droite à gauche, le contraire lorsqu'ils sont face sud.

La notion de positionnement est forcément relative et tout n'est pas une simple question d'*ici et là* comme on pourrait le croire. Les Espagnols ont trois références : ici, *aqui*, là-bas, *allà* et vraiment loin, *acà*. Plus intéressant encore, le catalan, très proche des influences linguistiques ibériques, avait lui aussi ces mêmes degrés de séparation relatifs à l'interlocuteur. L'un des termes, en revanche, *aqueix* qui signifie « ce qui est proche de vous » a été perdu, et, chose encore plus curieuse, ne restent désormais que le concept de proche de moi ou de là-bas, éloigné de nous deux. Par conséquent le catalan n'a pas la notion de « loin de moi, mais proche de vous ».

Une faute de traduction qui revient régulièrement entre le français et l'anglais tient au placement du mot « là ». En anglais, *here*, c'est forcément là où je suis, *there*, c'est là-bas. « Je suis là » se traduit plus ou moins par *I am here*. « Ils sont là » perturbe davantage les anglophones car s'ils y étaient vraiment, je le saurais, car j'y suis moi aussi !

Si je vous demande de montrer par un geste les concepts d'« hier » et de « demain », vous les mettriez probablement derrière et devant, sinon à droite et à gauche de vous. En tout cas il est fort probable que leur emplacement décrive une ligne horizontale. Ceux qui parlent mandarin, en revanche, voient mentalement le temps s'inscrire sur une ligne verticale. Pour eux le mois prochain est situé *vers le b*as, le mois passé *vers le haut*.

Parfois des éléments lexicaux que l'on croyait fondamentaux sont absents. Les Irlandais ne sont pas les seuls à se débrouiller sans mot pour « oui » ou pour « non ». La langue la plus parlée au monde, le mandarin, n'en a pas non plus. Dans ces langues on s'arrange avec des périphrases comme « vous voulez une bière ? Je veux ! » À l'inverse, certaines langues comme le javanais ont plusieurs mots pour « oui » et d'autres pour « non », en fonction de la personne à qui l'on parle. On ne dit pas forcément « oui » à une femme de la même manière qu'on le dit à un homme...

Du pied, des jambes et du daaà...

Nous ne voyons pas le monde du même œil et on ne le décrit pas avec les mêmes mots. Si des notions aussi rudimentaires que « eau », « porte » et « le temps » ou la façon de décrire « l'endroit » où nous nous situons ne sont pas universelles, on peut légitimement se demander s'il existe un concept partagé par l'humanité entière et nommé par tous de la même façon ? Il doit tout de même y avoir des idées ou des choses communes, décrites avec des mots parfaitement transposables d'une langue à l'autre ?

Ce n'est pourtant pas si évident à trouver !

Regardons d'un peu plus près notre corps. Il serait étonnant si toutes les langues du monde n'avaient pas un mot spécifique pour « œil », « bouche » et « nombril » et que ceux-ci ne soient pas traduisibles tels quels. Des chercheurs ont établi 4 000 façons de décrire une centaine de parties du corps à travers 750 langues.

Il va nous falloir aller assez loin pour constater nos divergences dans la façon de nommer les parties du corps, mais le déplacement en vaut la peine. Accompagnez-moi sur l'île Rossel dans l'archipel de la Louisiade, situé sur la côte est de la Papouasie-Nouvelle-Guinée. Nous y attend une tribu qui parle le yélî dnye. Les membres de cette tribu sont restés à l'écart de toute influence extérieure, ce qui rend d'autant plus intéressante l'étude de la façon dont ils qualifient les différentes parties de leur corps.

Ils ont tout autant si ce n'est davantage de mots pour décrire le corps que nous, mais ces mots ne coïncident pas forcément avec les nôtres. Ils ne possèdent pas par exemple un mot pour « jambe » qu'ils voient plutôt comme deux membres différents, le *kpaâlî* étant toute la partie du genou jusqu'à la cuisse. *Yu* englobe tout ce qui se trouve en dessous de nos genoux. À noter que, même s'ils ont ces deux mots pour la jambe, le mot « pied » n'existe pas. Il est uniquement conçu comme un appendice de la jambe inférieure. De même le mot pour bras, *kô*, englobe aussi la « main ». Le ventre, lui, est divisé en deux zones : celle au dessus et celle en dessous du nombril, lesquelles sont considérées de façon aussi distinctes que ne le sont pour nous le torse et l'épaule.

Il n'y a pas non plus de mot pour sourcil qu'ils décrivent littéralement comme une « touffe effervescente oculaire ». Il faudrait militer pour que d'autres langues « empruntent » le mot indigène pour la graisse car nos efforts pour l'éliminer seraient nettement facilités si on la reconnaissait comme les Yélî Dnye pour ce qu'elle est vraiment, à savoir du simple : *daaà*.

Cette tribu a aussi élaboré tout un vocabulaire, plus élégant, pour les occasions où il s'agit d'évoquer les parties du corps en présence des beaux-parents. Ce n'est pas sans rappeler l'insistance avec laquelle au XIXᵉ siècle en Grande-Bretagne on recouvrait d'un délicat voile de tissu les pieds des pianos à queue. En effet les pianos britanniques avaient le malheur d'avoir en anglais des « jambes », jugées à l'époque victorienne autrement plus séduisantes que vos simples pieds.

Même entre français et anglais la conception de nos corps diffère de manière subtile, mais révélatrice. Cela m'a toujours paru intéressant que l'on dise en français : « j'ai mal au pied, » et en anglais, *my foot hurts,* mon pied me fait souffrir. Dans le cas français, mon pied est considéré à juste titre comme quelque chose de parfaitement intégré à mon corps et, lorsque je souffre, c'est à cet endroit précis que cela se passe et que « j »'ai mal. Dans le cas anglais, la construction de la phrase laisse supposer que mon pied, si d'aventure l'envie lui en prenait, pourrait éventuellement faire souffrir quelqu'un d'autre. Pour un chercheur médico-linguiste en mal de sujet de thèse, il y aurait de quoi faire !

Des papillons, du paprika et du sang des Taureaux

Il existe néanmoins une catégorie où tous les habitants de notre planète semblent relativement d'accord. Des goûts mais aussi des couleurs, les représentants de l'homo sapiens ne discutent point. Que ce soit l'abidji en Côte-d'Ivoire ou le zapoteco au Mexique, nous reconnaissons tous plus ou moins les cinq couleurs de base : blanc, noir, rouge, jaune, puis une zone un peu plus floue entre le bleu et le vert.

L'Académie nationale des sciences aux États-Unis regroupa plus de 2 000 personnes parlant 110 langues et leur demanda d'identifier le nom dans leur langue de quelque 320 teintes. Les chercheurs prirent soin de chercher des personnes parlant quelques langues rares et pas trop influencées par les normes monochromes de la mondialisation. Le résultat fut l'unanimité quasi générale ! Ou presque.

Il y a tout de même quelques bizarreries et spécificités culturelles. Ainsi les Asiatiques habitent une zone un peu turquoise qui englobe le vert et le bleu dans la même catégorie. Les Chinois ont un seul caractère pour cette « méga » couleur 青. Les Japonais, même s'ils ont les mêmes feux de circulation que nous, vous diront néanmoins qu'ils démarrent au « bleu » car leur « vert » est considéré comme une sous-variante de cette couleur plus vaste, tout comme la couleur orange « appartient » pour nous à la catégorie du rouge.

Même en Europe on en voit de toutes les couleurs. Comme les Asiatiques, les Bretons et les Irlandais ont une conception assez floue du bleu et du vert, qu'il englobe dans une couleur souvent assimilée à celle du ciel par beau temps se reflétant dans la mer. Les Russes font la distinction entre *sinii* et *goluboi,* deux couleurs qui demeurent pour eux bien à part mais qui pour d'autres Européens ne sont que de simples variantes d'un même bleu, respectivement foncé ou clair.

Plus intéressante encore, la façon dont les Hongrois voient *rouge*. Ils ont deux mots pour cette couleur. *Piros* recouvre tout ce qui est rouge « léger » comme les tulipes, le paprika, le nez d'un clown ou la ligne rouge du métro de Budapest.

Un rouge plus fort se dit *vörös*, qui trouve son origine dans le sang, *ver*. Il est réservé à l'Armée et à la Croix-Rouge, au « sang du taureau » (le vin national), lorsque l'on « rougit » de colère ou de honte, au tapis rouge qui accueille les chefs d'État, et, plus inattendue, aux roses aussi, qui déchaînent les passions dans les Carpates davantage apparemment que les modestes tulipes...

Dans un monde idéal habité par des traducteurs-robots, une seule et même chose aurait un mot spécifique et différent dans chaque langue. C'est loin d'être le cas. En Europe, nous partageons souvent des racines communes. Au nord nous mangeons nos *bread*, *Brot* et *brod*, au sud vous croquez vos *pain*, *pane* et *pan*. Il est même rare de tomber sur un exemple où chaque langue occidentale a son propre mot pour désigner une seule chose. Parmi nos rares espèces : les variantes locales pour « papillon »...

L'étymologie du français est la plus simple. Le mot vient du latin *papilio*. *Butterfly* en anglais a des origines incertaines. La thèse la plus charmante veut que ce soit une contrepèterie autour du verbe : *to flutter by*, « voltiger légèrement dans les airs » mais si on s'en tient à la définition littérale le mot désigne « la mouche du beurre ». Même origine pour le mot allemand *Schmetterling*, lequel puiserait ses origines dans le mot slave pour « crème ». Une légende slave décrit ces insectes comme des réincarnations de sorcières trop gourmandes de produits laitiers. Il se recoupe avec le mot russe pour papillon, *babochka*, un diminutif de *baba*, grand-mère ou vieille dame. Certains dialectes russes conservent eux aussi l'idée de la réincarnation, puisque papillon se dit *douchika*, une petite âme.

Psyché signifiait papillon en grec ancien du nom de celle qui osa regarder le dieu Éros pendant qu'il dormait, et qui fut punie de son audace en étant transformée en lépidoptère. En grec moderne papillon est *petaloudia*, un mot qui fait référence au « pétale ». En espagnol la *mariposa* ne serait autre que la Santa Maria qui se pose. Une nuée d'autres mots s'y rattache, comme *farfalla* en italien, *borboleta* en portugais, ou *pinpilinpauxa* en basque. Le papillon serait-il à ce point insaisissable qu'aucune langue ne partage le nom qui le désigne avec une autre ?

Un site internet propose de voter pour son mot « papillon » préféré entre une cinquantaine de langues. Pour l'instant *mariposa* l'emporte avec 25 % devant *farfalla* (18,8 %) *borboleta* (12,5 %), puis le lituanien *drugelis* dont le score de 6,3 % est sans doute attribuable au nombre élevé de connexions dans les États baltes. Bon dernier, l'infortuné *vlinder* condamné à survoler en solitaire l'horizon lexical batave.

De perruques, de Pluton et des riches qui puent

À part nos sympathiques papillons polyglottes qui constituent un exemple unique, la plupart des autres mots se fondent dans un magma plus confus s'étendant d'une langue à l'autre. Les langues s'écoutent, se scrutent, s'échangent des mots et parfois se rebiffent, se boudent et même se taisent.

Il existe trois sortes de mots intraduisibles. Il y a des mots qui sont si profondément ancrés dans la culture d'un peuple que l'on peut difficilement les en extirper. Il y a des mots qu'une langue est seule à avoir concoctés, pour des raisons qui ne sont pas évidentes mais qui ne peuvent être traduits que sous la forme d'une paraphrase complexe. Puis, et nous allons commencer avec elles, il y a les langues qui trichent !

Certaines langues sont si jalouses de leurs mots qu'elles les tournent de telle sorte qu'ils deviennent impossibles à transposer.

Malgré son apparence alarmante pour les non-initiés, la lexicographie allemande est un jeu de Lego. Prenez le mot jouet justement qui se dit *Spielzeug*, composé de *Spiel* – jeu, et de *zeug* – chose. Et avion, une *chose* toujours, mais cette fois-ci qui vole, *Flug*zeug. Le résultat est parfois désarmant de franchise. Par exemple pour décrire les petits maux de la vie courante, comme la diarrhée, l'allemand impose l'image très parlante de la *Durchfall* – littéralement, à travers (*durch*) puis tomber (*fall*). Contrairement aux Français et aux Anglais qui ont recours à l'étymologie grecque plus distancée.

Les Allemands sont passés maître dans l'art d'imbriquer les différents éléments de leur lexique. Regardez l'un des nombreux débats bilingues sur l'histoire allemande dont seul ARTE a le secret, et vous entendrez tôt ou tard quelqu'un évoquer le nécessaire *Vergangenheitsbewältigungsprozess*, littéralement « le processus qui permet de venir à bout de son propre passé ». Ce concept est figé en un seul mot.

Certes, le français et l'anglais ne sont pas dépourvus de monstres. Nos « anticonstitutionnellement » et sa variante britannique « antidisestablishmentarialism » font néanmoins pâle figure comparés à de véritables rouleaux compresseurs tels que... *Rindfleischetikettierungsüberwachungsaufgabenübertragungsgesetz*, une loi préparée récemment par la Bundestag qui concerne la « délégation d'autorité en matière de supervision du processus d'étiquetage des morceaux de bœuf ». Ce mastodonte fut récompensé en 1999 comme « mot de l'année » en Allemagne.

Par pure curiosité je viens de consulter la version allemande du *Livre Guiness des Records* pour y dénicher le mot le plus long. On trouve l'horripilant *Donaudampfschiffahrtselektrizitäten-hauptbetriebs-werkbauunterbeamtengesellschaft*. Soit la « société réunissant les sous-officiers du département principal des services d'électricité pour les bateaux à vapeur sur le Danube ». C'est à Vienne que cette entité connut ses heures de gloire dans les années 1930. Une polémique subsiste jusqu'à ce jour sur le nombre exact de lettres que l'on doit égrener lors de sa transcription. Selon la réforme récente de l'orthographe en Allemagne, il convient d'ajouter un troisième « f » aux deux déjà présents à la fin de *Schiff* (navire) et au début du mot *fahrt* (voyage), ce qui crée le peu seyant *Schifffahrt*. Néanmoins la présence de ces trois consonnes identiques permet de décrocher le record, avec un mot comptant 80 lettres !

Cette possibilité de coller les mots ensemble donne néanmoins, à une échelle plus réduite, quelques petits mots sympathiques, imagés, et qui confèrent à la langue allemande toute sa saveur, surtout en matière d'explétifs. Les Allemands peuvent être amers, *sauer*, mais lorsqu'ils sont très remontés ils deviennent « amers à puer », *stink-sauer !* Ce préfixe olfactif s'acoquine très bien avec

114

le mot riche qui devient ainsi « riche à puer » – *stinkreich* ! Hier soir le commentateur d'un match de foot à la télévision allemande s'est plaint que celui-ci n'était pas ennuyeux, *langweilig*, mais pire encore – *stinklangweilig* ! Le plus bel exemple spontané provient d'un ami qui venait d'être flashé pour la troisième fois en un mois sur la même route. Quelle autre langue que l'allemand pourrait mieux saisir son ire absolue puisqu'il était, littéralement et en un seul mot retentissant : « renard-diable-furieux ! », *fuchsteufelswild* !

L'hiver est rude à Berlin. Les jours où l'on doit affronter la Karl Marx Allee par moins 20°, la langue apporte une petite consolation en considérant qu'il fait non seulement froid, *kalt* mais cul-froid, *arschkalt* ! Sa météo mise à part, la capitale allemande est néanmoins une ville passionnante. Comme le dit son maire, « Berlin est pauvre, mais *sexy* » (Klaus Wowereit employa plus précisément le mot touche-à-tout « geil » qui recouvre toute une gamme de réactions allant de « sympa » à « bandant »).

Contrairement à ce que l'on pourrait supposer, l'allemand ne fait pas partie des langues *agglutinantes*, car il n'applique ces procédés qu'à ses seuls substantifs. D'autres langues comme le basque, le finnois, le hongrois, le japonais et le turc jettent tout dans la marmite : verbes, pronoms, prépositions et adverbes et mijotent toutes sortes de spécialités.

La langue turque assemble aussi toutes sortes de composantes dans un seul et unique mot. Ils ont élaboré un véritable arsenal de suffixes et de préfixes. Ce n'est pas sans un certain effroi que l'on apprend que le nombre total de permutations de chaque verbe turc, si on prend en compte tous les différents éléments « agglutinables », dépasse facilement les deux millions !

Il suffit de taper « les mots longs du turc » sur internet pour tomber sur des concoctions aussi extravagantes que : *Çekoslovakyalılaştıramadıklarımızdanmışsınız*, mot indispensable lorsque l'on s'apprête à faire à l'ensemble de ses interlocuteurs le reproche suivant : « Vous faites partie de ceux qu'on a eu du mal à transformer en citoyens tchécoslovaques ! » Par la fréquence à laquelle il doit s'employer, ce mot n'est pas sans rappeler la phrase suivante, tirée d'un manuel de langue *O novo Guia da Conversaçao em Portuguez e Inglez* écrit à l'intention d'infortunés lusophones égarés en Grande-Bretagne au XIX⁰ siècle : *My postilion has been struck by lightning,* « Mon postillon a été frappé par la foudre ! »

Même les langues latines, sans pour autant agglutiner, ont une certaine propension à étirer leurs mots sur le chevalet de la richesse lexicale, technique qui les différencie de leur cousine française. L'italien en fait sa spécialité, et dispose d'une ribambelle de diminutifs, d'augmentatifs, de péjoratifs et même, et le fait que le mot soit intraduisible en dit long sur sa spécificité, de *vezzeggiativi*, de diminutifs pourvus d'une nuance de gentillesse et de sympathie !

Ainsi une table, *tavolo*, peut être petite, *tavolino*. Un simple livre, *libro*, peut devenir un grand tome, *librone*. Un homme simple, *uomo*, sera tour à tour petit et insignifiant, *omuncolo*, ou grand et baraqué, *omaccione*. Le même fils, *figlio*, est un *figliolo* ou même *figliuolo* en fonction du degré de tendresse que l'on ressent à son égard.

Un médecin est un *medico* mais quel touriste saura faire la différence entre deux mauvais médecins : l'un dont on vous dit que c'est un *medicastro* et l'autre un *mediconzolo* ? Ces nuances sont insaisissables pour tous ceux qui ne les auront pas entendues depuis qu'ils sont *bambinelli*.

Certaines langues ont d'autres « trucs » pour épater la galerie. La grande force de l'anglais est son extrême flexibilité. Cette langue est beaucoup moins régie par des règles strictes que toutes les autres grandes langues de l'Europe. Le seul mot *table* est à la fois le même substantif qu'en français, mais aussi un adjectif, *table-tennis*, ainsi qu'un verbe *to table a motion*, proposer un sujet en le mettant *sur la table*. Cette souplesse fait qu'il est non seulement plus accepté, mais encouragé d'inventer de nouveaux mots. Personne ne se précipitera sur le Oxford English pour vous prouver qu'ils n'existent pas.

Je me limite à quelques exemples glanés dans les médias au moment où j'écris ces lignes. *The Economist* fait un article sur la difficulté pour les juges anglais d'appliquer de nouveaux règlements européens, lesquels sont décrits par le journal comme étant *wigscratchingly difficult*, « difficiles à s'en gratter la perruque ». Le mot n'existe pas, on ne le retrouvera sans doute jamais, mais dans le contexte de cet article, il est parfait !

À la BBC ce matin quelqu'un a prétendu que l'une des ministres du gouvernement britannique avait du *street-cred*, mot passé depuis quelques années dans le langage courant et qui signifie que telle ou telle personne bénéficie de « la crédibilité de la rue ».

L'une de mes « amies » sur Facebook n'était pas contente d'une absence prolongée de messages de ma part. Après avoir lu un article sur le fait qu'une planète que l'on considérait comme la neuvième du système solaire avait été *downgradée* au rang d'une simple comète, elle m'écrivit en se comparant à elle, se plaignant d'avoir été *plutoized !*, plutonisée !

Des gnous, des gays et des moustachus

Nous nous volons les mots les uns les autres. Ensuite nous les déguisons et nous les reformons. Une fois qu'ils ont été adoptés, ils n'ont plus qu'une envie : s'envoler pour d'autres aventures, d'autres langues. À première vue ce va-et-vient devrait rendre la traduction plus facile. C'est souvent le contraire. Plus ils voyagent, plus les mots s'adaptent. Les contorsions les plus acrobatiques sont celles imposées par la langue japonaise et sa phonétique. Toute copulation des consonnes y est interdite et la présence d'une voyelle intermédiaire exigée !

Football devient *fotoboru.* Les Japonais viennent à Paris acheter du *pereta-porute* lorsque leurs habits ne sont pas faits sur mesure. Les modifications sont aussi importantes pour contourner la difficulté de la langue japonaise à reproduire certains sons, notamment le « l ». Calcium devient *karushumu.* L'encre (*ink* en anglais) devient *inki* en japonais, qui ne tolère pas non plus la présence de consonnes à la fin d'un mot. *Beisuboru* et *bouifruendo* évoquent le sport et le petit ami, mais qui reconnaîtrait *tishatsu* (tee-shirt), *sukii* (ski), ou encore *fakkusu* (fax) ? L'amour transforme tout, certes, mais prendre le mot *love*, le castrer de son « l » puis maquiller son « v » en « b » pour accoucher de l'invraisemblable *rabu*, et cela nous semble un peu *gurotesuku*.

Le terme d'« emprunt » est aussi curieux car rarement mot ne fut rendu ! Ou alors avec des *intérêts*. Le mot anglais *gay* vient du français « allègre ». Il gagna les côtes anglaises à l'époque normande. Ce n'est que très récemment que le mot que l'on vous a « emprunté » retraversa la Manche, lorsqu'il fallut trouver un terme plus *positif* que « pédé » et « homo ».

Les mots d'une même racine s'adaptent au climat culturel local, ce qui les fait souvent changer de sens. Prenez le mot *solidarity*. Il existe dans le dictionnaire anglais. Vous y chercherez en vain un adjectif de la même racine correspondant à « solidaire ». Les Britanniques ne sont pas *solidaires* car l'adjectif manque, et toute circonlocution du genre « I feel solidarity with you » sent la traduction *from the French*. Cela ne veut pas dire que nous autres Britanniques ne connaissons pas cette émotion. Néanmoins, le fait de la nommer autrement la transforme. Mon dictionnaire traduit *solidaire* par *to stand by someone*, se tenir à côté de quelqu'un. Cela a un sens différent, car le verbe implique un acte plutôt qu'un état d'esprit contenu dans l'adjectif français. *Compassionate* serait plus proche, évoquant une attitude d'empathie. Il ne s'agit pas d'une « traduction » pour autant.

Nos deux pays partagent d'innombrables mots, sans pour autant avoir les mêmes valeurs. La voix de la Dame de Fer retentit toujours dans l'inconscient collectif britannique, lorsqu'elle déclara, il y a trente ans, que la « société » n'existait pas (*there is no such thing as society !*) Nous sommes bien loin des problèmes sociaux dont il est question de plus en plus dans les discours des hommes politiques français. Quant aux « partenaires sociaux » et à leurs « mouvements » ces termes sont inconnus du paysage économique britannique, où l'on en est resté aux *unions* (syndicats) et à leurs *strikes* (grèves). Les Français parlent de plus en plus, du moins dans les conventions que j'anime, des « acteurs » de la vie politique et économique. Les appeler pour autant *actors* en anglais ajouterait un soupçon de second degré.

Les mots ne sont pas statiques. Ils évoluent en fonction de l'actualité. Regardez le mot « sans-papiers » en France. Il y a cinq ans c'était un terme dont le ressenti était nettement plus négatif qu'aujourd'hui. Grâce à la médiatisation de leur sort, le mot comporte aujourd'hui moins d'a priori négatifs. Cette évolution n'a pas eu lieu en Grande-Bretagne où les médias restent largement hostiles à tous ceux qui sont regroupés sous le terme d'*illegal immigrants*, à plus forte raison s'ils ont le malheur de se trouver dans des campements juste de l'autre côté du Channel.

Examinons un peu la traduction littérale de sans-papier, *paperless*. Elle fait irruption dans le vocabulaire français, là où on l'attendait moins, car elle désigne l'abandon des versions papier de toutes sortes de documents. Dans le Thalys entre Paris et Bruxelles, un contrôleur belge moustachu m'a ainsi demandé un jour : « Vous êtes ticketless ? ». « Autant que vous êtes beardless ? » (« sans-barbe »), lui ai-je répondu. L'hilarité escomptée était aussi absente de la suite de notre échange que la paperasse.

Cherchez le mot « banlieue » dans un dictionnaire français-anglais et vous tomberez inéluctablement sur la traduction standard : *suburbs*. Les deux mots sont pourtant très loin l'un de l'autre, leur impact affectif et géopolitique en particulier n'est pas le même, tout simplement en raison de l'organisation très différente de nos grandes agglomérations. La *suburbia* qui entoure Londres évoque de longues allées bordées de maisons bourgeoises. Chose paradoxale, il faudrait presque substituer le mot « banlieue » par *inner-cities*, les « centres-villes » britanniques pour retrouver les mêmes conditions sociales.

Des oufs, des pardons et de la confiture contraceptive

S'il y a un domaine où les valeurs d'une société imprègnent les mots, c'est la politesse. Des communautés ont même élaboré des langues complètement différentes en fonction des gens à qui l'on parle. On a déjà vu le cas de cette tribu qui a développé un langage spécifique réservé à la belle famille. Cela va plus loin encore chez les Quileute, et leur langue amérindienne parlée dans l'État de Washington. Dès qu'un membre de la tribu adresse la parole à quelqu'un qui louche, il convient d'ajouter le préfixe « tl » devant une grande quantité de mots. Il y a des préfixes réservés également aux nains, aux bossus et aux boiteux.

Même un mot en apparence inoffensif comme « pardon » regorge de différences culturelles. Lorsque je passe devant quelqu'un en France, ce n'est jamais sans un certain grincement de dents que je prononce ce mot. Dire « pardon » me paraît totalement incongru ! De quoi s'excuse-t-on au juste ? L'anglais préfère *thank you* dans ce contexte et ce réflexe me restera certainement jusqu'à la fin de mes jours. L'autre jour une Berlinoise que j'avais invitée à me précéder m'a dit : « C'est très sympathique. » C'est peut-être la solution la plus adéquate.

Quant au « merci » français, dont on croit à tort qu'il est la traduction parfaite de *thank you,* depuis trente ans que je propose ma collection de thés à mes invités francophones, je n'ai toujours pas l'oreille assez fine pour discerner si ce mot signifie que oui ou non je peux remettre de l'eau à chauffer !

Les formules de politesse regorgent de nuances périlleuses pour quiconque ne les maîtrise pas. Fraîchement débarqué en France, je me souviens de la mine horrifiée d'une vendeuse d'un petit supermarché près de chez moi. J'avais à l'époque des lacunes non seulement dans le maniement de vos formules de politesse, mais aussi dans le vocabulaire touchant au domaine plus délicat de la contraception. Du coup je lui demandai d'un ton précautionneux, me fondant sur les chemins tortueux qu'empruntent les demandes de ce genre dans ma langue maternelle. « Excusez-moi, madame, mais auriez-vous l'extrême gentillesse de bien vouloir m'indiquer s'il serait possible que je trouve ici de la confiture, sans préservatifs, s'il vous plaît ? ». « Mais, monsieur, me répondit-elle, *toutes* nos confitures sont sans préservatif… »

Les grands de ce monde ne sont pas à l'abri lorsqu'ils croient pouvoir traduire littéralement une formule. Le résultat est souvent incompréhensible. Prenez cette image diffusée sur les chaînes d'info du monde entier qui montre le président Chirac en visite à Jérusalem, bousculé par les gardes du corps israéliens soucieux de le protéger de tout contact avec le peuple. Exaspéré, il lança à l'attention de cet entourage encombrant, avec un retentissant accent gaulois : *It's not a method !* Hélas, *it's not a translation* non plus !

Ces différences dans la formulation, la conception même des rapports de politesse entre les gens, et l'impossibilité de les traduire sont largement responsables des mythes que nous entretenons les uns à l'égard des autres. Les Britanniques ne sont pas plus hypocrites que les Français, mais notre langue, si elle est prise sous la loupe directe d'une traduction sans nuance, indique le contraire. Les Français passent en revanche, de par le côté plus abrupt et direct de leurs échanges, pour être plus « agressifs » à l'oreille de celle qui n'est pas toujours la perfide Albion.

Plus on s'éloigne de ses terres, plus les règles de politesse sont sources de malentendus. Dans les conversations des natifs d'Antigua, ce n'est pas impoli de parler en même temps que quelqu'un d'autre lorsque les conversations vont bon train. En Afrique et dans des cultures arabes, même dans certains pays d'Amérique du Sud, dire à une femme que l'on n'a pas vue depuis un moment qu'elle a pris du poids est considéré comme un grand compliment.

Au Japon il est aussi difficile de comprendre les règles de politesse que de trouver les numéros dans les rues de Tokyo ! Il existe d'ailleurs un livre à l'attention de ceux qui viennent de s'installer au Japon et qui souhaitent maîtriser les différentes formules de la politesse. Le titre en dit long : *Le japonais — seize façons de dire « non »*, la plupart d'entre elles faisant apparemment appel au mot « oui » !

À l'intérieur d'une même langue, les évolutions dans les formules de la vie courante sont parfois imprévisibles. Ainsi le mot *salve* a été réhabilité ces dernières années en Italie. Il remplace de plus en plus le traditionnel *buongiorno* et cela pour la seule raison que ce dernier cale mal avec le doublage du *hello* dans les nombreux feuilletons américains diffusés sur les chaînes de la péninsule. Voici que *salve*, plus facile à utiliser, plus court, est à nouveau à la mode, surtout parmi les jeunes.

Certaines interjections de la vie courante, si indispensables à certaines langues, sont totalement absentes à d'autres. Comment par exemple les Anglais et les Allemands se débrouillent-ils sans les expressifs « ouf » dont vous avez du mal à vous passer pour marquer votre soulagement ?

Du dumping, des pressings et du crash

Tout anglophone vivant en France finira par remarquer que certains anglicismes sont laissés exprès tels quels, surtout lorsque ce qu'ils désignent est mal vu ! Prenez le « dumping » social.

C'est le cas aussi plus récent du *binge-drinking*, le fait de boire à l'excès, phénomène certes nettement plus répandu dans les rues des grandes villes britanniques mais alors qu'on constate l'augmentation de ces phénomènes en France, soudain nul ne semble particulièrement pressé de trouver une traduction.

Que dire des nombreux kidnapping, lobbying, pickpockets, crédit-revolving, forcing, overbookings, les coups de bluff et autres penalties, piercing, hold-up, has-been, skinhead, stress et WC ? Que penser aussi de l'utilisation du mot « crash » d'un avion, et de sa forme verbale : un avion s'est scratché ? alors que le verbe « s'écraser » décrit, hélas, tout aussi bien la même catastrophe ? Serait-ce pour conjurer le sort ?

Et que penser de la liste de tous ces misérables orphelins échoués sur vos côtes : tous ces mots désespérés en -ing, à forte consonance anglaise et dont le français raffole, mais qui ne sont que des bâtards. En voici le *listing* ! Considérez le cas de ce monsieur, qui, après son footing dans le camping, va chercher son smoking dans le pressing avant de consulter dans son parking le planning pour faire son lifting. Il n'a rien à voir avec son homologue anglais, lequel, *after his jog around the camp-site, gets his tuxedo from the dry-cleaners before he checks his schedule in the carpark for his face-lift !* Pas un *ing* ! Mais le plus extravagant de tous ces ing, c'est le « shampooing », qui demeure en anglais *a shampoo. Wigscratchingly* étrange, isn't it ? Dans l'autre sens, certains mots voyageurs subissent des modifications surprenantes. Une des expressions françaises que l'on entend souvent en anglais avec un accent appuyé sur la voyelle finale est *it's a case of noblesse obligéééééé.*

L'italien regorge aussi d'anglicismes, mais la langue semble mieux les intégrer, surtout s'ils se terminent en *–ion.* Les éditoriaux de

La Reppublicca ne parlent que des méfaits de la *devolution*, lorsqu'ils n'évoquent pas la *seriosa escalation* d'insultes entre Berlusconi et ses adversaires, le président du Conseil évoquant les nombreuses lois qu'il a lui-même élaborées pour protéger sa propre *privacy*.

Des sacs à dos, de la joie maladive et des éléphants fantômes

Certains mots passent également les frontières sans difficulté dans une sorte de Schengen linguistique. Demandez à un anglophone qui ne parle pas allemand s'il connaît quelques mots de cette langue. Les deux seuls cités en général sont *Kindergarten* (crèche) et *Schadenfreude*, littéralement la joie (*Freude*) devant le malheur (*Schaden*) d'autrui. Deux réflexions : pourquoi les Allemands ont-ils consacré un mot à cet état d'esprit et pourquoi l'ont-ils érigé en « sentiment » digne d'être nommé, contrairement notamment aux Anglais et aux Français ? Plus intéressant encore, pourquoi les Anglais, contrairement cette fois aux Français, ont-ils décidé d'adopter ce mot, plutôt que d'imaginer une version plus locale ?

Un récent éditorial du *Times* décrivait la guerre d'audimat qui se jouait entre les deux animateurs les mieux payés de la BBC : Nick Ross ressentirait du *Schadenfreude* pour Graham Norton, dont la dernière émission est un échec. *Media pundits were quick to detect schadenfreude behind Ross's remark,* « Les commentateurs ont rapidement discerné de la joie dans les dires de Ross face à la déconvenue de son rival ». Le mot est parfaitement assimilé, anglicisé au point de ne pas reprendre le « S » majuscule caractéristique des substantifs allemands. Il n'y a que les germanophobes les plus récalcitrants pour avancer que les Allemands se laisseraient aller plus que les autres à de tels sentiments. Serait-ce pour s'en démarquer qu'on le laisse ainsi en VO ?

L'anglais plus que toute autre langue emprunte, puis fait sien le vocabulaire venu d'autres horizons. La langue qui se targue d'être la plus internationale puise ainsi ses racines dans pas moins de 350 autres.

Ces mots empruntés s'intègrent parfois si bien à la langue que les Anglais n'en ont pas conscience. Depuis ma plus tendre enfance je mets mes affaires dans un sac à dos, *ruck-sacks* en anglais. Il m'a fallu attendre mes cinquante ans, dont une bonne quinzaine passées à étudier l'allemand, et trois années à Berlin, pour m'apercevoir que ce mot n'est autre qu'un mot allemand repris tel quel ! Une « insertion » phonétique parfaitement réussie.

La bouche anglaise a du mal à mâcher la nourriture continentale et fait de son mieux pour intégrer ses emprunts. Cette gêne phonétique est évidente dans l'appellation d'un quartier de Londres : *Elephant and Castle*. Il n'y a en effet aucune trace d'un château et encore moins d'un zoo dans ce district assez morose de la capitale. Il tiendrait son nom de « l'Infanta » Eléonore de Castille, courtisée par de nombreux aristocrates anglais. On voulut rebaptiser ce quartier en son hommage. Mais cela constitua hélas un tel défi de prononciation pour les Londoniens que ceux-ci le transformèrent en *Elephant and Castle*.

Du Volk à Leipzig, de l'agenouillement à Varsovie

Les mots sont « radioactifs », me confiait Alexandra, et ils sont souvent de ce fait intraduisibles à cause de leur résonance émotionnelle. J'ai souvent repensé à cette expression qu'elle avait utilisée lors de notre rencontre à Paris. En particulier un soir de concert à Leipzig qui commémorait les vingt ans de la première grande « manifestation du lundi » lorsque 70 000 personnes descendirent dans la rue pour réclamer le changement en Allemagne de l'Est.

Les médecins avaient reçu l'ordre de multiplier les réserves de sang dans les hôpitaux. Tout le monde s'attendait à un affrontement violent. À la sortie de la messe à l'église de Nikolai, les gens s'étaient munis de bougies et de leur courage pour braver l'un des régimes les plus totalitaires d'Europe. Spontanément plusieurs personnes scandèrent un slogan repris par la foule : *Wir sind das Volk !* « Nous sommes le *peuple* ! » Les organisations de la commémoration l'avaient traduit en anglais par *We are the people*. Dans d'autres circonstances, *people* traduirait parfaitement bien *Volk*. Mais dans *ce* contexte, pour *ce* slogan, le mot anglais semble ridicule en comparaison de l'impact du mot allemand.

J'ai pu saisir l'émotion du moment, la radioactivité du mot, lorsque ce slogan fut prononcé par Kurt Mazur, le dirigeant du Gewandhaus, la salle de concert où se déroulait la cérémonie. À l'époque, il avait risqué sa carrière et sa vie en interrompant un concert qu'il dirigeait ce soir-là pour encourager la foule par haut-parleur et demander aux autorités de ne pas réagir avec violence. À quatre-vingts ans, il dirigea l'ouverture d'*Egmont* de Beethoven qu'il avait joué vingt ans auparavant, les mains tremblantes d'émotion.

Un autre mot, difficilement traduisible, est lié à un événement historique majeur. Lors de sa visite à Varsovie en 1970, Willy Brandt s'est agenouillé de façon apparemment spontanée devant le monument pour le ghetto juif de la ville. L'« agenouillement » existe en français. En anglais il faut avoir recours à un verbe, *to kneel down*. Le mot allemand donne à ce geste une résonance plus forte, vu l'importance que cette langue accorde à ces substantifs, car il s'agit d'un *Kniefall*, genou-chute.

Des cris d'angoisse, de la soupe à la grimace et du monde au balcon

Tels des forgerons, chaque pays façonne son propre glossaire en fonction de sa culture, et forge ses mots dans la braise ardente de ses us et coutumes. L'essence d'une langue et de son *Volk* se dévoile dans le choix de ses mots, et surtout dans ces mots intraduisibles.

Comment imaginer des mots liés à la corrida autrement que dans le feu crépitant du castillan ? Ce geste de dédicace par lequel le matador offre la mort du taureau au public, le *brindis* ? Cette *bronca* lorsque le public désapprouve les faenas d'un toréro ? Ou, au contraire, le mot *duende* intraduisible, mais qui décrit sa fierté ?

Les Russes ont eux aussi leurs mots hermétiques qui désignent souvent en un seul terme leurs mélancolies, angoisses, tristesses, dépressions et lassitudes diverses et variées. Ajoutez une forme d'ennui devant les affres de la vie et vous obtenez le mot *toska* ! Comme le dit Vladimir Nabokov « aucun mot dans aucune autre langue ne peut transmettre cette grande angoisse spirituelle dans tout ce qu'elle a de profondeur désespérante qui vient de nulle part. Il s'agit d'une douleur sourde qui fait physiquement mal à l'âme ».

Les Tchèques, selon Milan Kundera, sont les seuls à ressentir du *litosht*, qu'il définit comme « un état tourmenté qui surgit lorsque l'on se rend soudain compte de sa propre misère, le tout avec une bonne dose de remords et de deuil ». L'auteur de *L'Insoutenable légèreté de l'être* affirme avoir cherché en vain son équivalent dans d'autres langues…

Edvard Munch capta mieux que quiconque le fameux cri d'angoisse dans son plus célèbre tableau. Le titre original, en revanche, le modeste skrik norvégien ne semble pas tout à fait convenir pour décrire ce lancinant appel de détresse. Pas autant en tout cas que le néerlandais qui ne lésine pas sur ses moyens phonétiques et aligne huit consonnes dans ce mot, ce qui donne le bien saisissant cri d'angoisse : « angstschreeuw » !

Restons aux Pays-Bas. Ils possèdent un autre mot intraduisible qui vient de leur culture spécifique et jusqu'à récemment particulièrement progressiste en matière de drogues. L'attitude du législateur était de rendre une chose illégale sans avoir la moindre intention de poursuivre ceux qui enfreignent la loi, rendant compte de cette attitude ambiguë grâce à un seul verbe *gedogen*. Il s'approche du verbe « tolérer », mot qui ne correspond pas tout à fait car le verbe néerlandais sous-entend davantage la désapprobation institutionnelle. *Gedogen* eut même l'honneur d'être cité par le journal américain *The Seattle Times* qui le qualifia de « pente glissante dans le pays plat ».

Allons plus au nord encore, chez les Finlandais dont le mot le plus intraduisible est le *sisu*. Il s'agit d'un mélange de courage, de détermination, de dureté et de dépit face aux effets combinés de l'inclémence climatique, de la rapacité de leurs voisins, et d'une certaine morosité, visible à l'ossature même de leur visage. Le *sisu*, c'est la vieille voiture qui vrombit alors que l'on pensait que son moteur était mort. Le coureur de fond Lasse Virén tomba dans sa course aux Jeux olympiques de 1972. Il puisa dans le *sisu* toute la force nécessaire pour se relever et remporter la course.

L'âme d'un peuple peut se résumer à un mot. C'est le cas du *lagom* suédois, car comme dit un dicton *lagom är bäst*, « le lagom, c'est ce qu'il y a de mieux ». Il s'agit de l'élévation du juste milieu en valeur suprême. Il ne faut être ni trop riche, ni trop pauvre. Le *lagom* a d'ailleurs fait irruption dans les récents débats sur le piratage informatique. Cet idéal, bien ancré dans l'inconscient collectif suédois, permit de concevoir un compromis entre les auteurs et les internautes. Sans le mot et le concept qu'il véhicule, y seraient-ils parvenus aussi facilement ?

Les Norvégiens, eux, ont une expression : le *Uff da*. Lorsque j'ai demandé à une Norvégienne de m'en expliquer le sens, elle me fit la liste de toutes sortes de situations de la vie quotidienne qui pouvaient déclencher ce cri primal… « Lorsque l'on découvre que son chien que l'on supposait "mâle" est enceinte, lorsqu'on oublie le prénom de sa belle-mère, lorsqu'on fait tomber par terre le seul œuf qui restait, ou plus explicitement encore, lorsqu'on mange une bonne soupe chaude quand on est enrhumé »…

La manière de parler de l'habitat permet aussi de savourer les subtilités propres aux langues. Un éditorial du journal danois le *Copenhagen Post* vanta les mérites du mot « maison » *hygge*…

« Il n'y a aucun autre élément de la culture danoise qui soit aussi impénétrable pour les étrangers. Il s'agit d'un mélange du *cosy* anglais, du *douillet* à la française, du *koselighet* norvégien, du *gemütlich* allemand, du *vilhtylisyys* finlandais et du *crack* gaélique, dépassant néanmoins chacune de ses notions. La familiarité est l'élément clé dans notre conception danoise du bien-être, le tout offrant un confort stable entouré des personnes les plus proches. » Évidemment les journaux de chacun de ces pays auraient pu conclure la même chose à propos du caractère unique de leur propre mot.

L'establishment britannique s'attribue depuis des années le côté rassurant du mot anglais *home* car, comme le veut le dicton, *an Englishman's home is his castle* : « La maison d'un Anglais constitue pour lui son château. » Pendant longtemps on appelait, par snobisme londonien, « the *home* counties », tous ces départements aux alentours de la capitale, s'étendant du Worcestershire jusqu'au Gloucestershire et dont les noms sont aussi imprononçables que les sauces légendaires.
Pendant les cinquante premières années de son existence la BBC diffusa un World Service et un programme « domestique » qu'elle intitulait The *Home* Service, le service « maison ». Personne en revanche ne trouve pittoresque le fait

qu'aujourd'hui encore notre ministère de l'Intérieur s'appelle The Home Office, le bureau *maison.*

Le mot allemand *Heimat* partage la même racine que *home.* Néanmoins il reflète beaucoup plus cette profonde quête d'identité qui caractérise la nation allemande dont les frontières physiques ont toujours été plus floues que celles définies par la langue ou le sang. Le mot est intimement lié à des notions telles que *Heimweh* ou *Sehnsucht,* une sorte de quête nostalgique de ses origines, puisant leurs sources dans les brumes des tableaux de Caspar David Friedrich.

Heimat est également le titre du plus célèbre feuilleton de la télévision allemande qui relate l'histoire du XXe siècle à travers le destin d'une famille originaire d'un village de Rhénanie. Moins célèbres, car moins exportables, les *Heimatfilme,* les « films de patrie », connurent leur heure de gloire dans l'Allemagne des années 1950 et 1960. Ces mélodrames se jouaient pour la plupart dans des paysages bavarois. Ils furent considérés comme une sorte de réponse collective à la période nazie qui avait usurpé bon nombre de valeurs traditionnelles allemandes. Les principaux protagonistes étaient tous des médecins, des forestiers, des prêtres, des aubergistes et les intrigues tournaient autour de querelles sur les droits de chasse ou dans les scénarios plus osés, sur les droits de cuissage d'une jeune fermière en costume bavarois aux décolletés pigeonnants. À ce propos l'allemand n'a rien à envier à la très expressive locution française : « avoir du monde au balcon » car les Bavaroises ont, elles, du « bois stocké devant la cabane », *Holz vor der Hütte* !

Des fans de quenouilles, l'aspiration de la poussière…

Il y a toute une catégorie des mots qui n'ont rien à voir avec les valeurs culturelles ou historiques d'un pays, et qui atterrissent, un peu par hasard, chez les uns ou chez les autres. Parfois le choix de ce que l'on « nomme » semble arbitraire. Ainsi pourquoi les Russes sont-ils les seuls à avoir consacré un mot à quelque chose que l'humanité entière connaît, ce goût entre l'amer et le sucré, lorsque l'on croque pour la première fois dans une pomme verte ? Le français, nous venons de le constater, a besoin d'au moins 20 mots différents. En russe un seul suffit : *askomina*.

On connaît tous ce sentiment si particulier que l'on éprouve pour une personne que l'on a aimée mais que l'on n'aime plus. Les Russes lui consacrent un nom : *razbliuto*. Un *adnoliof* est quelqu'un qui n'a eu qu'un seul et unique amour dans sa vie.

Plus terre à terre, les automobilistes russes ne sont pas les seuls à changer fréquemment et sans justification de voie sur l'autoroute. Mais ils sont pour le moment les seuls à décrire ce comportement dans un seul verbe : *shnourkovatsya*.

Les banlieues de Copenhague ne sont pas plus que les autres des repères de femmes assises au seuil de leur maison et qui hurlent des obscénités à leurs enfants. Ils sont les seuls en revanche à avoir inventé un seul mot pour les désigner : *kaelling*. Les Portugais n'ont pas plus que les autres l'habitude lors d'une veillée funèbre de se faire passer pour l'un des proches du mort dans le seul but de se ruer sur le buffet. Ce sont les *pesamenteiros*.

Les Allemands ne sont pas les seuls à ressentir le trac, cette « angoisse que l'on ressent au seuil » d'un grand événement et qu'ils définissent si bien, en un mot, *Türschwellenangst*. Et comment ne pas savourer le mot allemand pour des « lèvres en fraises » : *Erdbeermund*...

Les Tchèques aussi ne sont pas les seuls à aimer les quenelles, leur mot dédié à ces amateurs pourrait donc très bien s'exporter : des *knedlikovy*...

La BBC organisa récemment en consultation avec un millier de linguistes un concours pour trouver le mot « le plus intraduisible du monde ». Le champion est *ilunga* de la langue *tchiluba*, parlée au sud-est de la République démocratique du Congo. Il désigne une personne disposée à pardonner un affront une première fois, à le tolérer lorsqu'il est commis une deuxième fois mais qui rejette l'idée de pardon si l'affront est commis une troisième fois.

Parmi les rares mots qui passent allègrement les frontières, il y a les noms de marque surtout lorsque ceux-ci deviennent indissociables de leur produit. C'est le cas de trampoline, cellophane, kérosène, thermos ou yo-yo. Prenez aussi l'aspirateur. La traduction en anglais, français et allemand de ce simple appareil en dit long sur les trois différentes langues. L'anglais est plus commercial car il s'agit de *Hoover*, le nom de marque, qu'il m'a fallu voir inscrit en haut d'une usine pour comprendre qu'il s'agissait du nom d'une société. Le nom français est plus abstrait. Me trompé-je en y discernant dans ce nom l'espoir d'atteindre un degré idéal de propreté ? Qu'avons-nous en allemand ? Il s'agit d'un terre-à-terre *Staubsauger*, littéralement un « poussière-suceur » lequel à son tour se change en verbe, les sols de Berlin à Bonn étant *gestaubsaugt*, poussière-sucés !

L'anglais fait une spécialité d'utiliser dans le langage de tous les jours des noms de marques. De nos jours on « photoshoppe » la vie à tel point que ce mot est déjà en passe de devenir une métaphore : lors d'un débat aux Communes un député à récemment accusé un ministre de *photoshopper* la réalité avec de beaux discours. Contrairement à ce que l'on pourrait croire, cette utilisation détournée ne plaît guère à la société. Elle a même dicté des consignes à l'intention de ses employés délimitant l'usage du nom. Adobe ne veut pas que nous soyons « photoshoppés » précisant qu'il faut à tout prix dire que « j'ai été manipulé grâce à Adobe ©Photoshop © ».

Restent tous ces mots qui n'existent pas… encore. Dans *The Meaning of Liff,* l'auteur anglais Douglas Adams se propose de pallier le plus pressé. Mes préférés sont *dungeness,* le malaise que l'on ressent en tenant un sac en plastique lourd sur le point de lâcher, puis *kalami,* l'art de savoir replier les cartes géographiques correctement, ou sinon le *yarmouth,* chose dont mes compatriotes sont passés maîtres puisqu'il s'agit de l'illusion selon laquelle il suffit de parler sa langue bruyamment pour que les étrangers la COMPRENNENT…

Parfois les mots naissent pour les raisons les plus pittoresques. Si l'on se tourne vers le

Dictionnaire Websters de 1934 on tombe sur un curieux mot : *dord*. D'après les explications fournies, il s'agirait d'un terme chimique plus ou moins équivalent à la « densité ». La vraie origine du mot est plus cocasse. Lors de la rédaction du dictionnaire, quelqu'un avait annoté dans les marges que le mot *density* pouvait être représenté par la seule abréviation « d ». Le correcteur a cru bon de préciser que cette lettre pouvait s'écrire *soit* en majuscule *soit* en minuscule, se limitant à inscrire dans la marge : « D or d ». L'un des imprimeurs s'est ensuite trompé, concluant que ceci constituait un mot à part entière. Du coup *dord* a connu une gloire éphémère le temps que quelqu'un se rende compte de la supercherie.

Frederike et Gabriele

Frederike et Gabriele sont sœurs. On a pourtant du mal à le croire. Frederike est nettement plus grande et incontestablement plus blonde que sa sœur. Il suffit en revanche de fermer les yeux pour entendre la même voix, une voix grave sans être sérieuse, mélangeant sons canadiens et anglais et un timbre presque imperceptible qui, sans être un accent, puise ses origines dans un autre pays...

Leur famille (les parents et sept enfants) quitta le Mecklenburg et l'Allemagne au début des années 1950 pour s'installer à Toronto, « où il ne faisait pas bon être allemand ! » précise Gabriele. Depuis, les deux sœurs ont géré cet héritage linguistique et psychologique de façon contrastée.

Frederike s'est tout de suite sentie chez elle dans son nouveau pays, ravie d'aller dans une école où les enfants ne parlaient pas la langue que « mon père aboyait à la maison lorsqu'on faisait des bêtises ». Elle a appris non seulement l'anglais, mais aussi le français, obligatoire au Canada. « C'était incroyable de comparer, de savoir que la lune pouvait être masculine ou féminine selon la langue. Que l'on pouvait mettre des mots dans un ordre différent ! J'adorais apprendre l'anglais avec des comptines. » Frederike enchaîne tout d'un coup sur une improvisation pour le moins inattendue, ses bras et son cou miment l'anse et le bec d'une théière hypothétique resurgie de sa mémoire…

I'm a little teapot, short and stout,
here's my handle, here's my spout !

Personne ne parlait anglais lorsque la famille débarqua au Canada. « Ma mère qui a quatre-vingt-cinq ans découvre même jusqu'à aujourd'hui de nouveaux mots et elle s'en émerveille, dit Frederike. Parfois en revanche ce n'était pas facile ! Je me souviens aussi de l'hilarité déclenchée par ses fautes, comme le jour où elle déclara avoir été "humidifiée" en public. »

Depuis, Frederike vit en Suisse, et a travaillé dans bon nombre d'instances internationales où son trilinguisme lui permet non seulement de mieux comprendre les gens mais surtout, précise-t-elle en anglais, « de comprendre d'où ils viennent, *where they're coming from* ». Peut-être parce qu'il lui a fallu beaucoup voyager pour comprendre d'où elle vient elle-même.

Elle arriva en France à vingt ans, tomba amoureuse non seulement du pays mais de l'un de ses habitants à vingt-deux ans. « C'est une grande libération de parler la langue que l'on s'est choisie, et non pas celle de ses parents. On a le sentiment de s'approprier un monde nouveau et que tout ce que l'on vit dans cette langue ou culture vous appartient vraiment, justement parce qu'on a été le chercher ! Le fait de lire dans une nouvelle langue la littérature, la poésie, est un grand moment, car on s'imprègne plus facilement de nouveaux sens. On est plus alerte !

Le français demeure la langue que je préfère pour toute sorte de raisons. J'adore les discussions sur les idées qui sont plus difficiles dans des langues plus terre à terre. Le français évoque mieux les couleurs ainsi que les sentiments à l'égard de la musique, la nourriture, et tout ce qui se rapporte à la sensualité. Un ami connaisseur me disait récemment à propos d'un vin que celui-ci avait "des épaules qui tombent". Quelle autre langue pourrait se permettre une idée aussi bizarre, aussi… exquise ? »

Si Frederike s'est sentie tout de suite chez elle, Gabriele, à cinquante ans, a un regard différent sur son pays d'adoption. « Le Canada pour moi était un accident utile de mon histoire. Il est toujours là quand j'en ai besoin, mais guère plus. Je me sens comme un poisson hors de l'eau dans le pays où j'ai grandi. » Gabriele affirme mépriser surtout « tous ceux qui s'en prennent aux enfants à cause de leur nationalité ». « S'en prendre » : le mot qu'elle utilise en anglais est l'un des plus difficiles à traduire. *To bully* : martyriser, tourmenter psychologiquement, surtout lorsque ce traitement s'applique à des personnes sans défense.

« J'ai tenté par trois fois depuis les années 1970 de reprendre pied en Allemagne, y déménageant avec mes quatre enfants. Chaque tentative se solda par un échec. J'en suis repartie, dégoûtée ! Cela est un paradoxe incompréhensible pour moi et ma vie tourne éternellement autour de la question de savoir comment on peut à ce point rejeter son pays d'origine, tout en réclamant, en aimant, en se définissant même par rapport à sa langue... »

Comme Isabel la Cubaine, elle parle aux enfants, aux amants et aux animaux dans sa langue maternelle. « Contrairement à ma sœur, j'ai toujours parlé allemand à mes propres enfants. C'est une langue secrète pour nous. Tout le monde qui est proche de moi a droit à une bonne dose, tôt ou tard. Pas du tout pour des raisons chauvines. Dans les années 1950 on a grandi au Canada en ayant honte de nos origines. Mais plutôt parce que c'est à la base de la conception que j'ai de moi-même. C'est la seule langue que je me sens obligée de défendre ! »

Gabriele vit les langues au point d'en faire son métier. Elle les enseigne à l'université d'Ottawa et travaille le reste du temps comme traductrice d'œuvres littéraires. Elle traduit notamment les livres de Hertha Müller qui a reçu le prix Nobel de littérature en 2009. « Elle décrit de façon incroyable les conditions de la Roumanie de Ceausescu avec les avortements illicites, la faim féroce. L'image qui m'a le plus marquée, c'est celle d'une femme riche obligée de fouiller dans les poubelles pour rapporter à la maison le cou d'un poulet dont les gouttes de graisse tachent sa robe de soie rouge. L'auteure, qui est roumaine d'origine, écrit tout ceci en allemand, qui est sa langue d'adoption. Je la comprends. Le résultat est plus rude, plus immédiat, plus désespérant que dans d'autres langues. »

Gabriele ne partage pas en revanche l'enthousiasme de sa sœur quant au côté « floral » de la langue française. « Cela rend tout presque intraduisible ! J'avais un auteur français qui n'arrêtait pas de balancer dans son texte son "vertige du vide". L'anglais n'arrive pas du tout à capter ce genre de flou. Je n'ai pu y substituer qu'un grotesque *dizziness of emptiness* ! J'en ai perdu mon calme, tant il nous remettait cette idée tout le temps sur le tapis !... »

« La traduction est relative à l'instant, dit Gabriele. Les traductions vont être très différentes non seulement en fonction de la personne qui les fait, mais par rapport à l'époque. » Gabriele dit même avoir une certaine sympathie pour une nouvelle théorie de la traduction qui veut que l'on garde telles quelles les expressions originales, en comptant sur l'intelligence du lecteur pour en saisir le sens. « Les Anglais disent par exemple : donner un coup de pied dans le seau, *to kick the bucket* lorsque quelqu'un décède, sans doute pour dédramatiser. On devrait le laisser tel quel. De toute façon la traduction ne peut qu'égratigner l'original. C'est comme un jeu, comme ces épouvantables mots croisés affectionnés tant par vos compatriotes ! » me lance-t-elle d'un ton ludique mais néanmoins quelque peu agacé.

Les deux sœurs sont d'accord néanmoins sur une chose : c'est l'allemand la langue la plus drôle. Frederike sort spontanément une expression en m'indiquant discrètement une dame qui vient de passer devant nous, *Vom hinten Lyzeum, von vorne Museum*, « de derrière c'est le lycée, de devant le musée ! » Devant ma perplexité elle se rappelle une autre expression, le simple mot *Bahnhof !* qui signifie la « gare », mais qu'elle prononce en tirant un long trait amusé devant son front, le tout qui

veut dire apparemment que l'on n'y comprend
« que dalle ! »

« Je me demande ce que je vais parler quand je
serais vieille avec de l'Alzheimer, conclut Frederike dans un grand éclat de rire. Peut-être serais-je
dans ma chaise, à hurler des mots allemands !... »

3.

Les expressions

Des grand-mères ne font pas de grimaces, même en se rasant !

Les Russes et les Allemands partagent le concept de « mots ailés ». Ce sont des expressions qui sont parfaites pour exprimer une idée ou une émotion. Chaque langue a ses propres tournures. Elles en disent long sur la vision du monde d'un peuple avec ses valeurs, ses humeurs et son humour. Après avoir regardé les mots, nous allons nous intéresser à ces locutions toutes faites à travers lesquelles le langage s'adapte aux échanges, aux habitudes et aux imprévus de la vie quotidienne. Les expressions colorent les briques de notre maison linguistique et, pour en citer l'une des plus « ailées » du français, « il y en a souvent des vertes et des pas mûres ! »

On peut souvent trouver des équivalences d'une langue à l'autre. Les anges « passent » en français ainsi qu'en espagnol, mais pas en italien, portugais ou dans d'autres langues du Sud, pour ne rien dire du silence qui recouvre tout le nord du continent. L'on pourrait faire le dessin de ces correspondances linguistiques. Cela ressemblerait à ces cartes du monde dans les dernières pages des brochures d'Air France où les points les plus inattendus du globe sont reliés par des flèches frénétiques. Mais le propos de ce livre n'est pas de donner le tournis linguistique et je vais donc me limiter aux trois escales que je connais le mieux. Paris, Londres et Berlin.

Certaines expressions ont leurs équivalences au niveau du sens, mais avec des images différentes et pittoresques. Si vous éprouvez des difficultés à enseigner à vos vieux singes à faire des grimaces, nous n'avons pas davantage de succès lorsque nous poussons nos grand-mères non pas dans les orties (aucune expression équivalente en anglais, hélas !) mais à « sucer des œufs » (*you can't teach your grandmother to suck eggs*).

Le français ne possède pas d'expression pour évoquer l'extravagance qui consiste à apporter quelque chose là où il y a déjà abondance. Les Britanniques eux apportent des charbons à Newcastle, ville grisâtre au nord du pays qui en est déjà largement pourvue. Les Allemands, de façon plus surprenante, apportent des hiboux à Athènes.

Il existe dans la Hackney Road de Londres un regroupement d'anglophones – des plus restreints, il faut bien l'admettre – qui a recours à la curieuse expression *It's the hospital making fun of charity !*. Était-ce la fatigue d'un énième voyage en Eurostar ? Un jour j'ai entendu cette expression maladroitement traduite du français sortir de ma bouche, au lieu de la version originale qui veut que « la casserole affirme que la bouilloire est noire » (*it's the pot calling the kettle black.*) Les personnes qui m'entendirent trouvèrent cette traduction tellement saugrenue qu'ils l'ont immédiatement adoptée. Qui sait, peut-être dans quelques générations cette tournure prendra elle aussi ses ailes outre-Manche.

À part ses équivalences plus ou moins parfaites, et qui sont rares, il y a de vastes pans de l'expérience humaine qui restent intraduisibles. Les expressions toutes faites nous aident à structurer nos pensées mais ces expressions de notre vie de

155

tous les jours et qui nous semblent si évidentes sont inexistantes dans d'autres langues.

Combien de fois j'ai regretté l'absence en anglais d'une expression aussi simple que : « Les bons comptes font les bons amis. » Cet adage simple, au point d'être parfois énervant lorsqu'il nous est destiné, permet de contourner l'embarras d'une dette, aussi minime soit-elle. Aucune expression en anglais ne permet d'envelopper et d'évacuer aussi efficacement cette gêne passagère.

Un autre exemple : « Cela s'appelle reviens… » Quand des anglophones se prêtent quelque chose, il n'y a que le regard un peu paniqué de celui qui prête qui trahit la crainte de ne plus jamais récupérer l'objet. Ce serait tellement facile de pouvoir sortir un hypothétique : *It's called come-back !*

D'autres expressions définissent les relations humaines. J'ai entendu ce matin à la radio qu'il existe entre le président de la République et l'une de ses ministres une très éloquente « paix armée ». La même situation existe très certainement au 10 Downing Street. Mais rien dans la langue anglaise ne permet de capter de façon aussi imagée cet état de méfiance et de respect. Le français n'est d'ailleurs pas en reste lorsqu'il s'agit d'inventer de nouvelles images. Dans un journal j'ai pu lire que, contrairement à son indifférence publique affichée, un homme politique aimerait beaucoup obtenir un poste actuellement vacant. Je cite le journaliste : « Selon la nouvelle expression, il y pense même en se rasant ! »

Le français a aussi des expressions plus franches qui font allusion à des sentiments que les anglophones rechignent à admettre ! Après mon arrivée en France, j'ai mis longtemps à ne pas ressentir une certaine gêne, chaque fois que j'entendais quelqu'un dire à son interlocuteur : « C'est pas mon problème ! » et « Je ne veux pas le savoir ! » Ces phrases ne sont pas du tout transposables outre-Manche, tant elles affichent une indifférence aveugle aux tracas de l'autre. Une pareille attitude outre-Manche sera décrite par toutes sortes d'arabesques et de circonvolutions oratoires.

Des saucisses, des renards et du tango

L'anglais propose quelques « aperçus psychologiques » qui permettent de mieux cerner certains comportements. Une citation de Shakespeare est souvent utilisée en anglais moderne… *Methinks the Lady protesteth too much !* (« Il me semble que la Dame proteste de trop ! ») On l'emploie lorsqu'une personne proteste avec trop de force pour ne pas avoir quelque chose de suspect à cacher ! Il y a également le très éloquent *It takes two to tango*, « il faut être deux pour faire quelque chose » et si vous, vous ne voulez pas, on abandonne !

L'anglais n'a pas d'expression pour les anges qui passent, on l'a vu, mais d'autres expressions ont une poésie au moins similaire. C'est le cas de celle qui désigne la tristesse d'une rencontre manquée entre deux personnes qui auraient pu s'entendre, mais qui par les hasards de la vie sont passées à côté. Ce sont des *ships that pass in the night*, « deux navires qui se croisent dans la nuit ».

Un dernier exemple pour vous montrer le côté dynamique de la langue anglaise. Vous avez peut-être regardé, comme 100 millions de « Youtubistes » la chanteuse écossaise Susan Boyle dans un télé-crochet britannique. Les membres du jury ainsi que le public, en se fondant sur son simple physique, ne lui avaient prêté aucun talent. Mais à la fin de sa prestation, une des juges, visiblement éblouie, affirma qu'il s'agissait d'un grand *wake-up call*, un « coup de réveil » qui avait fait tomber tous ses préjugés.

La langue allemande regorge d'expressions d'une sagesse très utile dans des situations sociales délicates. À la fin d'une soirée berlinoise à laquelle je participais le départ de plusieurs amis est fêté par d'interminables et larmoyantes embrassades. Tout d'un coup l'un de ceux qui s'en allaient lança cette phrase inoubliable : *Alles hat ein Ende, nur die Wurst hat zwei !* « Tout a une fin, sauf la saucisse, qui en a deux !... »

L'allemand navigue en permanence entre deux extrêmes. Le fossé entre la langue de tous les jours et celle plus pompeuse du monde administratif ou littéraire est bien plus net qu'en français ou en anglais. Du coup les expressions populaires sont souvent plus savoureuses. J'ai récemment osé dire à un ami berlinois qu'une vague connaissance m'était « sympathique » : *nett*, qui est aussi insipide que le *nice* anglais. Mon interlocuteur, sceptique quant à l'intérêt d'un tel éloge, me fit remarquer que *nett ist die kleine Schwester von Scheiss !,* « sympa », c'est la petite sœur de la m... ! » Ce même interlocuteur me surprit, en m'expliquant qu'il avait récupéré l'usage d'une place de parking payée mais très peu utilisée par un de ses voisins. Il ajouta : *Offen war Polen,* « La Pologne était ouverte ! » Une des rares expressions allemandes qui ne soient pas politiquement correctes !

L'allemand dispense également la sagesse de sa psychologie dans ses expressions, comme dans cette phrase, si simple mais qui n'existe pas ailleurs et que l'on peut proférer devant l'entêtement de deux adversaires dans un conflit : *Der klügere gibt nach !*, « celui qui est le plus intelligent cède le premier… »

La langue de Goethe a aussi ses expressions poétiques. Comme celle qui désigne un endroit reculé au milieu de la campagne, *wo sich Fuchs und Hase gute Nacht sagen*, « là où le renard et le lièvre se disent bonne nuit ». Ou encore cette tournure très simple lorsqu'on évoque une offense commise par un interlocuteur à qui l'on a décidé de pardonner et qui devient du coup *Schnee von gestern*, « de la neige d'hier… »

Le voyage, la Vierge et les Monty Python

On apprend beaucoup de choses en écrivant un livre. Je me suis rendu compte que la langue française, contrairement aux idées reçues, est nettement plus drôle que bien d'autres langues, notamment la mienne…

Lors du séjour à Leipzig, avec les représentants de plusieurs villes européennes, nous étions logés dans un petit hôtel où l'accueil était aussi sec que les viennoiseries du petit déjeuner. En voyant le prix de celles-ci sur la carte, le représentant d'une grosse agglomération française s'exclama « mais ils ont vu la Vierge ou quoi ? ». Je tentais d'expliquer notre hilarité à la représentante de Manchester dans une traduction improvisée à laquelle elle réagit par un sanguinaire *I see*.... Alors mon voisin, jamais à court de remarques bien pesées, renchérit... « Elle n'a pas la lumière dans toutes les chambres, celle-là » !

Autre exemple. Je participais récemment à la préparation d'une grosse convention annuelle d'un grand groupe français, dont la sympathie n'a d'égal que les conditions totalement chaotiques dans lesquelles s'organise chez eux tout ce qui touche à l'événementiel. Arrive une pimpante Américaine. « On m'a dit, proclama-t-elle, que ce n'est pas la peine d'envoyer mes *slides* tout de suite. Je vais vous les mailer plus tard car j'ai envie de voir comment on fonctionne *à la française.* » La représentante de l'agence à mes côtés me chuchota discrètement... : « elle va pas être déçue du voyage, celle-là ! »

C'est sans doute mon expression préférée en français. Elle est formidablement intraduisible. Certes, il en existe une équivalente en anglais : *she'll get more than she bargained for,* « Elle va en avoir davantage que ce qu'elle avait escompté ». Le sens y est, mais la locution anglaise n'est pas *intrinsèquement* drôle. Depuis cet incident j'ai fait une expérience intéressante auprès de nombreux cobayes francophones, en répétant cette phrase à plusieurs reprises sans même raconter l'anecdote. Même sortie de son contexte, l'expression fait toujours sourire.

161

Je suis persuadé que l'humour français est en grande partie inscrit dans sa langue. Je me suis muni d'un petit calepin sur lequel je me rue au cours des conversations banales dès que je trouve une tournure « drôle » ! Mon cahier est aussi froissé que rempli.

Vous avez en effet des expressions qui ne sont pas *piquées des hannetons* ! Voici une petite liste de certaines que j'ai pu glaner. Je vous mets au défi de la lire sans jamais sourire... En voiture Simone !...

On va vite le mettre au parfum, celui-là.

Je suis à toi comme la sardine est à l'huile.

Faut pas prendre des vessies pour des lanternes.

Il a le cul bordé de nouilles.

Il lui faisait des yeux de merlan frit.

Ça tient par l'opération du Saint Esprit !

Arrête de me raconter des salades.

Il est parti comme un pet sur une toile cirée.

Nous ne sommes pas sortis de l'auberge !

C'est fort de café !

Il n'y avait que trois pelés et un tondu.

Il est arrivé la gueule enfarinée.

Tu ne vas pas me ch... une pendule pour ça ?

Et nous c'est du poulet ?

Ça ne casse pas trois pattes à un canard.

Il faut sortir le dimanche.

Il est moche de chez moche !

Cela vaut son pesant de cacahuètes.

Je ne suis pas tombé de la dernière pluie.
Elle yoyote un peu de la touffe.
Il est bouché à l'émeri.
Voilà, pour ma pomme !
Tu l'as dit, bouffi !

J'habite en France depuis trente ans. J'ai eu l'occasion de m'habituer à toutes ces expressions qui ne constituent qu'un petit échantillon de ce que j'ai pu noter. Ce n'est pas leur étrangeté qui les rend drôles puisqu'elles amusent les francophones tout autant que ceux qui les découvrent.

Comparons avec l'anglais. Si l'on part à la recherche d'expressions imagées ou drôles, à tous les coups ressort le vieux marronnier *It's raining cats and dogs*. Cette bizarrerie semble avoir imprégné l'inconscient collectif francophone (autant hélas que mon nom provoque *My Taylor is rich*).

Cette expression qui mêle chiens et chats est inattendue, certes, mais elle n'est pas particulièrement drôle. En outre, jamais je n'ai entendu un Anglais prononcer cet idiotisme ! *It's pissing with rain* se passe de traduction et s'entend beaucoup plus.

L'humour d'un peuple fait partie de son identité. Nous autres Britanniques sommes généralement crédités d'une bonne dose d'humour et tout le monde semble d'accord pour dire qu'il est « idiosyncratique ». Traduire un trait d'humour en revanche peut vite ressembler à ce passage glauque lorsque l'Eurostar quitte le monde et plonge dans le silence envoûtant du tunnel sous la Manche. On est coupé de ses repères, déstabilisé, à mi-chemin entre deux cultures.

Une grande révélation : l'humour *anglais* tel qu'il est vanté (et vendu) à l'étranger n'a pas grand-chose à voir avec l'humour *britannique*. Je mets en exergue ces deux mots car ils étaient à l'origine d'un différend on ne peut plus révélateur qui m'opposa au producteur d'une émission sur France 5 consacrée à ce sujet.

Le rédacteur en chef tiquait chaque fois que je prononçais le mot « britannique ». Il préférait visiblement le mot « anglais ». Géographiquement j'ai raison. Mes compatriotes parlent de *British humour* plutôt que d'humour anglais qui laisserait de marbre tout bougon ayant le malheur d'habiter du mauvais côté des frontières écossaise et galloise. Le responsable de l'émission m'expliqua que ce mot « ne correspondait pas à l'idée que les téléspectateurs de France 5 se faisaient de l'humour *anglais* ». Une raison de plus de faire cette émission, lui répondis-je.

Deuxième sujet de controverse : mes commentaires étaient illustrés par des extraits d'émissions supposés drôles. Seul hic : ils ne me faisaient pas rire du tout ! Le monteur français, plié en quatre, devait m'expliquer entre deux hoquets l'hilarité de telle ou telle scène.

Lorsqu'on demande à des Français de citer des représentants de l'humour « anglais », surgiront les incontournables Monty Python, Mr Bean, The Office et puis, pour ceux qui ont quelques rides cathodiques, les inénarrables et hélas si prolifiques frasques de feu Benny Hill.

Considérons les Monty Python. Il y a bon nombre de Britanniques que la série ne fait pas rire du tout et j'en fais partie. Cela ne m'empêcha pas d'en acquérir les droits et de les diffuser sur France 3 lorsque je produisais l'émission « Continentales », Audimat oblige ! Cette série n'eut jamais le succès en Grande-Bretagne qu'elle connut et connaît toujours en France. La deuxième chaîne de la BBC l'a diffusée deux fois dans les années 1970 à une heure avancée de la soirée. Les gags sont évidemment léchés. Certains Britanniques rient mais la série plaît nettement plus à l'étranger. C'est le cas également des films. La plupart des jeunes Français connaissent *La Vie de Brian*, contrairement aux jeunes d'outre-Manche.

La raison en est simple. Monty Python, tout comme Mr Bean et Benny Hill, ou même une série plus moderne comme *Little Britain* sont des produits parfaits pour l'exportation puisque l'humour y est surtout visuel. Les problèmes de traduction n'existent quasiment pas. Cela contribue à véhiculer une image faussée de l'humour britannique hors Grande-Bretagne. Image dont ne souffrent pas outre mesure les détenteurs des droits de ces séries assez anciennes.

Cette méconnaissance de l'humour britannique n'est pas réservée à la France. En Allemagne, elle est encore plus farfelue. Leur représentation de ce qu'ils persistent à appeler eux aussi le *Englischer Humor* résulte en grande partie d'un sketch de 18 minutes en anglais *Dinner For One* que la principale chaîne de télévision allemande diffuse chaque soir du réveillon, en VO et en noir et blanc depuis 1963 ! Cette curiosité est inscrite depuis belle lurette dans le *Livre Guiness des Records* au titre de « l'émission de télévision la plus rediffusée dans le monde ».

Il met en scène un dîner traditionnel organisé à l'occasion des quatre-vingt-dix ans d'une vieille lady anglaise. Les invités ont depuis longtemps disparu et elle est seule avec son groom fidèle lequel, afin de ne pas décevoir sa maîtresse, joue le rôle des autres convives. Ce tête-à-tête prend une tournure plus palpitante lorsqu'à la fin ce même groom accompagne la dame vers sa chambre et s'enquiert de la suite des festivités sur un ton obéissant : *The same procedure as last year,*

Miss Sophie ? et la dame répond, imperturbable, avant de disparaître avec lui dans sa chambre *The same procedure as every year, James !*

Cette chute avait sans doute un côté nettement plus *osé* à l'époque où le sketch fut rédigé, au début des années 1920. Elle demeure très présente dans la conception allemande de l'humour britannique. J'en reçus la preuve inattendue lorsqu'un jeune Allemand rencontré dans une boîte techno de Berlin me glissa inopinément cette phrase à l'oreille au moment où nous quittions la boite ensemble. J'aurais préféré que nos échanges soient un peu plus hot !

Mais cette œuvre poussiéreuse, enregistrée en Grande-Bretagne avec des acteurs autochtones, n'a jamais été diffusée, ne serait-ce qu'une seule fois, à la télévision britannique ! Et c'est non sans une certaine perplexité que j'apprends que la télévision norvégienne en acquiert les droits au moment où j'écris ces lignes...

Pour préparer l'émission sur France 5 j'avais fait un micro-trottoir à Trafalgar Square et j'avais demandé à mes compatriotes de définir les caractéristiques de l'humour britannique. Quatre personnes sur cinq l'ont spontanément qualifié de *self-deprecating*, terme assez difficile à traduire qui désigne l'humour tourné contre soi. Se moquer de soi-même est perçu, et même érigé en qualité suprême en Grande-Bretagne.

Tony Blair en fit la preuve lorsqu'il prononça un discours historique devant l'Assemblée nationale. Il crut nécessaire, comme il le faisait à la Chambre des communes, de démarrer par une histoire drôle qui concernait son premier séjour à Paris en tant que jeune barman. Les rires étouffés et un peu gênés des députés étaient éloquents sur nos différences, car on imagine mal le président de la République commencer ses discours officiels de la sorte.

L'humour britannique n'est pas plus raffiné ou supérieur, comme le pensent secrètement la plupart de mes compatriotes ! Il m'a fallu m'éloigner longtemps du sol réputé si drôle de mon pays pour comprendre que le fait même de se moquer de soi peut comporter une part d'arrogance codée, un snobisme à l'envers.

Nicole, une amie qui est interprète, affirme baisser les bras chaque fois qu'un intervenant essaie d'être « drôle » et qu'il lui faut rendre la saveur de ses propos dans la langue de l'assistance. « Souvent, dit-elle, je demande gentiment dans le casque au public de rire un bon coup pour faire plaisir à l'intervenant », et le but est atteint.

J'aimerais terminer cet aparté sur l'humour britannique par une petite anecdote qui l'incarne si bien et qui vient de mon père. Une voisine nous racontait un dîner dans un restaurant indien. Le repas était tellement mauvais qu'elle dut se précipiter aux toilettes. Elle eut l'occasion de constater que les lieux étaient fréquentés par une colonie grouillante de cafards. Lorsqu'elle en informa, et cela dans les termes les plus polis, le patron, celui-ci la couvrit sur le champ d'invectives. Le plus naturellement du monde, mon père demanda à notre voisine, avec un understatement parfait : *So you wouldn't recommend it then ?*, « Vous ne le recommanderiez donc pas, alors ? »

Du fond des mers jusqu'aux balcons du pape

Patricia Martin anime les matinales sur France Inter. Ensemble au Cirque d'Hiver nous regardions un spectacle laborieux où une dame vêtue d'une robe très serrée obligeait une troupe composée de phoques et d'autres animaux des mers à passer par une série d'interminables cerceaux. L'exiguïté du bassin contraignait considérablement les mouvements de l'artiste, l'obligeant à effectuer bon nombre de déhanchements. Ma voisine remarqua à juste titre que « l'otarie n'est pas toujours celle qu'on croit ! » Cette

169

histoire me revient en tête comme la métaphore parfaite de l'humour et de son côté intraduisible, surtout lorsqu'on essaie de lui imposer des contorsions incongrues.

L'anglais américain est nettement moins adepte du *understatement* que l'anglais britannique. Au contraire, l'humour américain est plus *in ya face* comme ils disent, en plein visage. Lorsque je cherche des tournures anglaises aussi drôles que les expressions françaises, celles qui me viennent spontanément sont teintées d'un fort accent américain ! Quelques exemples…

Wake up and smell the coffee !, « Réveille-toi et sens le café » lorsque quelqu'un refuse de voir la vérité en face. Et si un autre refuse une évidence, on peut tenter l'interjection d'un simple *hello ?* avec intonation montante (habitude adoptée d'ailleurs par les jeunes Allemands qui le font en revanche avec une intonation qui descend). Puis si jamais quelqu'un pose une question où la réponse affirmative est évidente, on peut rétorquer *Is the pope catholic ?*, « Le pape est-il catholique ? »

J'ai découvert une variante gay de cette tournure récemment sur internet. Quelqu'un avec qui je « chatte » m'expliquait que pour arrondir ses fins de mois il fabriquait du *fudge*, une confiserie britannique écœurante réunissant beurre, sucre, caramel et crème fraîche. Je lui demande bêtement si le produit fini n'est pas un peu gras : *Does the pope have balconies ?*, « Le pape, a-t-il des balcons ? », « Évidemment oui ! »

Une autre expression américaine est particulièrement efficace face à quelqu'un ne veut pas comprendre un refus. On peut ainsi lui dire, mélangeant clin d'œil et exaspération *What part of the word « no » do you not understand ?*, « Quelle est la partie du mot "non" que tu as du mal à comprendre ? » Et aucune autre expression, dans aucune langue du monde, ne saurait aussi bien résumer le moment où une catastrophe qui vous pendait au nez se produit que *That's when the shit hit the fan*, « C'est là que la m... est rentrée dans le ventilateur ! »

Mais les expressions américaines sont parfois alambiquées. Les congressistes du parti Démocrate, sur les conseils de consultants, avaient un moment voulu abandonner le mot « impôt » en glissant dans leurs discours le terme plus media-friendly de « frais d'adhérence à la société », *society membership fees*. Autre exemple : les troupes américaines envahirent « par mégarde » l'île de Grenade, à l'époque sous contrôle britannique, sans avoir la délicatesse d'en informer le gouvernent de Londres. Apparemment Ronald Reagan et ses sbires n'étaient pas au courant du statut de l'île, il fut donc décidé d'éliminer toute mention d'« invasion » pour lui préférer le *pre-dawn vertical insertion*, une « insertion verticale avant l'aube ».

Au cours d'une conférence de presse le représentant d'une société pharmaceutique américaine devait annoncer le résultat très embarrassant d'une expérience sur des poissons. Selon ses dires, *the biota exhibited a 100 % mortality rate*, les éléments biotiques ont fait preuve d'un taux de mortalité à 100 %. L'un des journalistes provoqua les rires de la salle en se faisant tout de suite son interprète : *You mean all the fish died ?*, Vous voulez dire, en gros, tous les poissons sont morts !

La conclusion de cette digression sur l'humour ? Il est à ce point spécifique à la culture d'un pays que même ceux qui parlent la même langue ne rient pas forcément au même moment. L'humour coule dans les veines d'une langue. Mais la drôlerie française est incontestablement plus visible que les autres, tatouée à même la peau.

De romans, de Rodin et de « rabu »

Difficile de quitter ce chapitre sur les expressions et leurs allées-venues sans parler des mots qui sont, dans toutes les langues du monde, les plus susurrés, chuchotés, criés, déclamés, chantés, et parfois hurlés : ceux de l'amour. Une émotion tellement universelle, n'est-il pas, que sa traduction ne devrait nullement poser problème. Bien sûr que si !

Est-il possible même de tomber amoureux si la langue que l'on parle ne possède pas d'expression pour cela ? Les Japonais nous ont déjà pris au dépourvu, mais voilà qu'ils nous épatent car jusqu'au début du XXᵉ siècle dans leur langue il n'y avait même pas de mot pour « amour » !

La notion de famille est très importante au Japon et prime sur l'intérêt de l'individu, donc sur tous les épanchements individuels et extravagants. Aucun verbe ne correspondait à la réalisation de ces derniers. Son expression était donc découragée, rejetée comme une sorte de folie déviatrice. L'amour romantique n'avait pas lieu d'être, du coup n'existait pas en tant que concept.

Lesley Downer a écrit tout un roman sur cette période sous le titre *Le Dernier Concubin.* L'action est située dans le palais de la ville d'Edo, habité par trois mille princesses et un seul jeune homme, le shogun. Le roman tourne autour de cette question centrale. Comment tomber amoureux quand le pays où vous habitez n'a pas de mots pour cette idée ?

Il suffit de lire les œuvres de Junichiro Tani-
zaki, le Balzac local, pour comprendre l'importance des unions « arrangées » dans la culture
nippone traditionnelle. On y estimait que la
passion « amoureuse » était la dernière chose à
prendre en compte en décidant du choix d'un
époux convenable. Rares sont les pièces kabuki où
l'on traite de l'amour passionnel et qui se terminent en *happy-end* !

Tout cela posait évidemment des problèmes
considérables de traduction lorsque les premiers
romans occidentaux arrivèrent sur place à la fin
du XIXᵉ siècle. La langue japonaise était à ce point
dépourvue d'un équivalent pour « amour » qu'elle
dut opérer l'une de ses toutes premières contorsions phonétiques. Les traducteurs prirent le mot
anglais *love*, l'assommèrent de quelques coups de
sumo pour l'habiller dans le kimono mal assorti
qu'est *rabu* !

Même chose avec le mot « baiser » : *kiss* dans
les romans victoriens en anglais devint *kissu*. Ce
refus de concevoir des mots natifs pour ces sentiments devient plus compréhensible lorsque l'on
sait que même dans les années 1930 une reproduction en public de la sculpture que Rodin a
intitulée *Le Baiser* fut recouverte d'une écharpe au
Japon. Où celle-ci fut-elle placée ? Pas sur les
corps dénudés, uniquement sur leurs têtes dans le

souci de recouvrir cette indécente union des bouches !

Aujourd'hui encore on sent à quel point les Japonais ont du mal à « emballer » ce mot. « Je t'aime » existe : *Aishite iru* mais son usage est réservé plutôt à la poésie. Plus récemment, la toute jeune génération l'a réhabilité grâce aux importations culturelles occidentales. *Suki desi* est une autre façon de je t'aime, mais l'espace affectif entre « aimer » et « aimer bien » semble nettement plus flou qu'en Occident. *Dai-suki* correspond plus ou moins à notre « je t'aime bien » moins fougueux en tout cas que *taisetsu*, tu m'es précieux.

Je viens de regarder sur You Tube une vidéo qui décortique la façon d'écrire « je t'aime » dans des kanji japonais. Le clip dure une minute, ce qui en dit long sur la nature un peu compliquée de la relation qu'ils ont avec ce sentiment ! Il faut 26 traits pour bien dessiner le caractère. Même en japonais moderne il n'y a pas véritablement d'expression pour « tu m'as manqué ». Et le mot pour femme dans le sens de « l'épouse », *seisai*, puise son origine étymologique dans le mot pour châtiment !

De pieds, de *pasion* et de bottes de cuir

Notre conception de l'amour romantique remonte au Moyen Âge. Depuis nous essayons tous d'exprimer nos sentiments tant bien que mal avec les mots dont nous disposons. Pauvres Luxembourgeois : jusqu'à aujourd'hui leur langue ne fait pas vraiment la différence entre « je t'aime » et « je t'aime bien ».

Nul ne reprocherait aux Espagnols un manque d'effusion dans l'expression de leurs ardeurs. Ils ont même l'embarras du choix lorsqu'il s'agit de dire ce qu'ils ont dans le cœur car leur langue va jusqu'à proposer deux façons de dire « je t'aime ». Faut-il opter pour *te amo* ou *te quiero* ? *Esta es la cuestion !*

Querer occupe une zone floue entre « vouloir » et « aimer ». Lorsqu'il exprime des sentiments, il est réservé plutôt à la famille, à son époux, à ses parents, à ses frères et sœurs. *Amar* est plus rare et concerne plutôt son amant, les moments de passion dans les feuilletons, ou à son époux « le jour où l'on se sent particulièrement amoureux », comme me l'a expliqué une Espagnole un dimanche dans un café à Valladolid. « Mon mari vient des îles Canaries et moi je suis originaire d'Argentine. Si je lui disais *te amo*, il aurait l'impression que je me prends pour une héroïne

176

de télénovela. Si c'est lui que me le dit, il y a de fortes chances pour qu'on soit pliés en quatre tous les deux, plutôt par *hilaridad* que par *pasion* ! »

Les Italiens ne sont pas réticents à exprimer leurs sentiments. *Ti voglio bene* sonne assez neutre aux oreilles néophytes, un peu comme un « je t'aime bien » à la française. Mais le sens est beaucoup plus proche de « je t'aime », et son emploi est réservé à des moments d'émotions assez intenses.

Par contre plaignez mes compatriotes qui n'ont pas de mot pour « tendresse », *tender* étant réservé à la façon dont nous bouillons nos viandes. *Affection* ne fait pas l'affaire, il est beaucoup trop insipide. Il faut avoir recours à un verbe du genre *to care for someone* pour retrouver la profondeur des sentiments de ce merveilleux mot de la langue française.

Que penser en revanche de la dispute, parfaitement incompréhensible pour les non-Hexagonaux, autour du simple mot « baiser. » Comment un seul et même terme peut-il faire à ce point double emploi, flirtant d'un côté avec l'un des gestes d'amour les plus inoffensifs et de l'autre avec un acte plus engageant ? C'est un cas unique en son genre. Je me tourne vers Alain Rey et son prodigieux *Dictionnaire historique de la Langue française* où l'on apprend ceci...

« Le tout vient du mot latin *basiare*, qui désigne l'action d'appliquer ses lèvres sur une partie d'un être en signe d'affection. Son emploi dans un contexte amoureux en construction transitive et absolue a conduit à un emploi érotique par euphémisme pour posséder charnellement. Par extension, baiser a pris le sens figuré de "tromper" et est depuis 1881 surtout employé au passif par allusion au partenaire passif d'un rapport homosexuel. »

Pourquoi toutes les langues européennes ont tant de mal à proposer un seul et unique verbe transitif – et neutre ! – pour l'acte dont il s'agit ? On voit, on courtise, on flatte, on embrasse, on caresse son amant, tout cela avant de « faire l'amour avec »... Pareil en anglais *to make love to* ou sa variante d'une pudibonderie aussi maladroite que jouissive que l'on trouve parfois dans les tabloïds britanniques *intimacy took place between*, l'intimité eut lieu entre... Cette absence en dit long sur nos inhibitions collectives et apparemment transnationales. Les émotions gravitant autour de cet acte seraient-elles tellement à fleur de peau qu'il devient impossible pour une langue de proposer le moindre mot ?

Les infortunés Allemands sont obligés de trancher entre *ficken* qui partage la même racine que son amant étymologique anglais, ou le très éprouvant *Körperlichergeschlechtsverkehr machen !* qui s'apparenterait à la circulation sexuelle corporelle.

J'hésite à mentionner un autre exemple pourtant très parlant. Il n'y a aucun équivalent en anglais de l'expression française « prendre son pied » ! *I had a really good time*, j'ai pris du bon temps, est un tantinet mou à côté. Pourquoi cette irruption inattendue du membre inférieur ? Voici la réponse d'Alain Rey…

« Prendre son pied signifiait d'abord "prendre sa part de butin". De l'argot des voleurs à celui des prostituées, l'expression est devenue synonyme d'avoir sa part de plaisir amoureux, le mot comportant des connotations érotiques véhiculées par l'idée de "membre". »

Inutile de dire qu'en matière de perversité, en revanche, la langue anglaise est très équipée, et propose toutes sortes d'accessoires lexicaux. Le plus intéressant est sans doute le mot *kink*, intraduisible tel quel car même s'il désigne la perversité, il le fait dans un sens « positif ». Honor Blackman était au début des années 1960 la toute première compagne de John Steed dans la série *Chapeau Melon, Bottes de Cuir*. À l'époque elle a vanté les mérites de ces mêmes *kinky boots*, les bottes noires et luisantes en latex qu'elle portait et dont le mot « véhicule », pour reprendre un terme employé par Alain Rey, des charmes étrangement attirants. Mais en français il n'y a pas de terme sympathique pour ce genre de « fétichisme pervers ».

Je viens de constater en tapant le mot *kink* sur internet qu'il existe une série de télévision comportant pas moins de 63 épisodes d'une heure et qui porte ce nom. La série documentaire promet de « détailler l'exploration d'un grand nombre de pratiques associées à une sexualité alternative dans une approche intime et personnelle ». Ainsi *Kink* nous fait voyager « vers des mondes dont certains d'entre nous n'ont jamais rêvé ». Preuve s'il en est que certains termes du dictionnaire nécessitent bien plus qu'un seul mot pour pouvoir capter toute l'amplitude de ce que Ferdinand de Saussure appelait leur *signifié*.

De l'amour tamponné !

Sans trop dévoiler ma vie privée (je vous renvoie pour cela à mon précédent livre !) j'ai fait récemment une découverte étonnante sur l'allemand et l'amour. Mes voyages fréquents dans la capitale sont liés aux sentiments que je « nourris » pour l'un de ses habitants. Depuis deux ans que nous nous connaissons, quelque chose me gênait : il répondait toujours à côté, du moins me semblait-il, lorsque j'exprimais clairement mes sentiments à son égard ! Lorsque je lui disais *ich liebe dich*, que même un lycéen en première année d'allemand comprend, lui avait tendance à me répondre *ich mag dich* qui semblait correspondre plus ou moins à « je t'aime bien » ou encore *ich hab dich lieb*, que l'on peut rendre comme « tu m'es cher ». J'en avais conclu qu'il avait des réticences à s'engager dans cette relation.

C'est uniquement en rencontrant une interprète allemande pour préparer la rédaction de ce chapitre que j'ai compris quelque chose de fondamental. Elle me racontait à propos des problèmes de traduction son fou rire un soir au théâtre en voyant une pièce américaine traduite vers l'allemand. L'un des protagonistes raccroche avec sa femme au téléphone. Rien de plus naturel pour un Américain de terminer la conversation par *I love you*. Cet au revoir a été traduit par *ich lieb' dich*.

La salle a bien ri ! « On ne le dit pas en allemand, surtout pas à la va-vite », m'explique mon amie bilingue. *Ich liebe dich* sonne beaucoup trop comme une sorte d'*autorisation bureaucratique*. C'est pompeux, lourd, trop sérieux, comme si l'on ressentait le besoin de tamponner ses sentiments pour les rendre plus officiels ! » J'étais bouche bée. « Le seul moment où je l'ai dit de ma vie, poursuit-elle, c'est lorsqu'enfant, j'effeuillais des fleurs en scandant *ich lieb' dich, ich lieb' dich nicht, ich lieb' dich…* »

James

Un homme qui parle bien d'amour et en plusieurs langues, c'est rare. James en est un. Ce chercheur a publié un livre sur la philosophie linguistique de Humboldt et, au moment où je l'ai rencontré, il faisait des recherches sur la relation entre le langage, la métaphore et la vision du monde. Pour les besoins de cette étude, il a passé une année à comparer le traitement de l'amour dans des magazines pour femmes comme *Cosmopolitan*, *Marie-Claire* et *Glamour*, et ceci dans leurs parutions en France, en Grande-Bretagne et en République tchèque.

« Dans les trois pays, le langage fait que les lectrices voient l'amour autrement. La célébration du désir dans la culture française ainsi que la pression sur la femme pour qu'elle peaufine en permanence ses pouvoirs de séduction encouragent la Française à se voir au centre d'une histoire. Du coup elles sont davantage obsédées par la fidélité. Puisque la femme est au centre de l'histoire, l'infidélité est d'autant plus cruelle. Toute incartade la déplace ailleurs et elle perd sa place ! »

« Les métaphores des différentes langues sont intéressantes. Pour les Françaises il s'agit souvent d'une aventure. À titre de comparaison, le seul emploi de ce mot dans un magazine tchèque est dans un sens purement négatif. En plus du concept de l'aventure, vient celui du script, de se faire un film, d'être sur scène le parfait amant attendant en coulisses. »

C'est intéressant de constater par exemple que l'anglais et le français associent l'amour avec la chaleur et le feu. Le sexe est une explosion. Les feux d'artifice sont déclenchés dans les deux langues. En France on se chauffe, on est une allumeuse. En tchèque en revanche l'amour n'a pas de température à ceci près que le mot *teply*, chaud, signifie que quelqu'un est homosexuel !

L'imagerie religieuse foisonnait dans les magazines français, l'amour étant partout vécu comme un « sacrifice de soi ». Les amoureuses françaises étaient souvent « aux anges » mieux, au paradis, référentiel totalement absent dans les deux autres pays. Une lectrice comparait son psychiatre à un « saint François d'Assise sexué ». Une autre disait que son mari lui faisait l'amour comme s'il s'agissait d'un ensemencement sacré. Elle n'en était pas du tout contente !

L'homme est quelque peu un incident de parcours dans les récits français et anglais, souvent relégué au statut d'un produit de consommation lorsqu'il ne constitue pas tout simplement le moyen de réaliser ses propres rêves. Les lectrices anglaises sont de plus en plus obsédées par l'idée de se trouver des *hunks*, des canons ou du *beefcake*. L'acte d'amour pour les Britanniques comporte souvent des notions de transgression, de quelque chose non seulement de tabou mais surtout de sale. « C'est le résultat d'années de puritanisme dans les sociétés anglo-saxonnes qui relègue tout ce qui est érotique dans le domaine de l'interdit », explique James.

Les lectrices britanniques deviennent de plus en plus des *ladettes*. C'est un nouveau mot apparu il y a cinq ans outre-Manche, (il s'agit de la simple féminisation du mot *lad*, un type) et qui désigne, de façon peu flatteuse, les femmes qui sont souvent dans un état d'ébriété avancé et qui cherchent à combler leurs désirs de façon immédiate. Cette nouvelle génération voit le désir comme un bien de consommation. Pour elles, le sex est *naughty but nice*, « pas très sage, mais bon ! »

comme disait une publicité dans l'un des magazines, mélangeant les images de sexe avec le désir de manger un gâteau à la crème.

Les Tchèques avaient un langage différent pour parler de leur amour : *Láska*. Plutôt que des métaphores de chaud et de froid, on trouve celles de l'attachement et de l'énergie émotionnelle. Plusieurs articles assimilaient l'attirance physique à un aimant. L'amour ouvre à de nouvelles configurations énergétiques, ce qui se traduirait très mal dans les deux autres langues. Si les magazines anglais et français traitaient souvent l'acte *sexuel* comme un moyen d'obtenir quelque chose, les Tchèques ne se gênaient pas de faire la même chose avec l'amour lui-même. L'amour est ainsi « le meilleur moyen d'apprendre une langue étrangère ».

S'il évite les métaphores de température et de feu, le tchèque nage dans des locutions autour de l'eau. On *plonge* dans les émotions, on *nage* dans le bonheur d'être en couple. La contrepartie est qu'une femme tchèque s'est plainte que son amour s'était « évaporé »... De manière plus générale, « l'amour est nettement plus un travail de longue haleine entre deux partenaires pour les Tchèques, et pas du tout un produit périssable comme à l'Ouest », dit James.

James est originaire de Glasgow en Écosse, d'où il conserve un fort accent. Il était venu d'abord en France dans les années 1980 afin d'échapper aux rigueurs du thatchérisme. « Il n'y avait pas de travail pour ceux qui ne voulaient pas devenir des Yuppies comme moi, et je voulais fuir le cynisme ambiant. » Après avoir passé une année dans une chambre de bonne quai d'Orsay à Paris, il a pris, sur un coup de tête, le train pour Prague, juste après la chute du Mur, là où « tout bourgeonnait et restait à créer »…

« Je faisais mon Hemingway, mais dans la capitale tchèque. Je vivais avec l'un des 30 000 Américains qui étaient à Prague à l'époque. Tout était presque gratuit car il n'y avait pas d'argent. Tout semblait possible car il n'y avait plus de Mur. Je vivais avec un Américain. Pendant une année on s'est lancé le défi d'apprendre la langue : nous nous levions à 6 heures chaque matin pour le faire, faisant des concours de qui apprendrait telle ou telle conjugaison le plus rapidement… »

« Mais le tchèque, c'est compliqué ! Il y a sept cas, y compris le vocatif, l'instrumental, le datif et locatif, et on a le choix de 21 suffixes chaque fois que l'on prend un substantif. Je trouvais tout cela plus facile lorsque je conjuguais les mots et les adjectifs pour les femmes : oh vous la belle Pragoise ! Puis j'ai commencé à aimer la façon dont les Tchèques parlent d'amour : à la place de

je t'aime ils disent *je t'ai avec bien du bonheur !*
Restent tous ces mots dépourvus de voyelles dont
le tchèque fait sa spécialité et qui en sont encore
plus résonnants... *zmrzl*, complètement figé,
scvrkl, raccourci, *blb* un idiot, ou bien *smrt*,
la mort...

Quand je lui demande ses conclusions après
son année de lecture surprenante, il réfléchit un
instant, puis me fait une remarque, avec son fort
accent de Glasgow... « Les langues ne sont pas des
prisons qui nous enferment. Elles sont plutôt des
palettes qui nous permettent de créer nos propres
couleurs... »

4.

Comment apprend-on sa propre langue ?

Des voisins, des ventres et de l'isthme

À quel âge commence-t-on à apprendre sa langue maternelle, ? Deux ou trois ans ? Dix-huit mois ? Comment l'apprend-on ? Est-ce qu'on apprend différemment sa langue maternelle qu'une autre ? Peut-on un jour vraiment « sentir » les mots, les expressions d'une langue étrangère si on ne l'a pas apprise tout petit ? Il est temps de partir à la rencontre de parfaits petits apprentis linguistes !

Tout commence dans le ventre de nos mères. Le choix du mot ventre en français est intéressant ! Les mots « utérus » ou plus précisément « matrice » existent. Justement ! Personne ne les utilise tant l'ambiance évoquée par le mot « ventre » semble importante.

Les fœtus anglophones ont droit, eux, à leur espace au nom bien distinct du *belly* dont la fonction est purement digestive. Le son déjà du mot symbolise son côté caverneux, ouaté et sombre puisqu'il s'agit du *womb* avec un « b » résolument muet. Je viens de me rendre compte, en l'écrivant qu'il n'y a qu'un seul autre mot de la langue anglaise qui partage cette même structure ainsi que cette prononciation, et qui se situe à l'autre extrême du périple humain, puisqu'il s'agit de *tomb*.

Le sort des futurs germanophones frôle le côté extraterrestre. Eux non plus ne sont pas couvés dans les ventres de leurs mères mais dans ce que l'on appelle outre-Rhin une « mère couveuse », une *Gebärmutter*. Une femme enceinte ressent donc les premiers petits mouvements de son enfant à l'intérieur de *sa propre* mère couveuse, comme quoi une mère allemande peut en cacher une autre ! Ajoutons que le *placenta* qui protège les bébés français et anglais devient outre-Rhin un nettement plus succulent « gâteau maternel » – *Mutterkuchen* !

Quoi qu'il en soit, cet endroit est-il aussi silencieux que l'on croit ? Il s'avère de plus en plus que non. Les sons les plus inattendus y pénètrent. L'une des preuves les plus saugrenues fut fournie tout récemment par l'un des feuilletons de télévision les plus suivis en Australie, exporté partout dans le monde anglophone. Il s'agit des *Neighbours*, les Voisins. Depuis vingt-cinq ans ce soap-opera raconte la vie de quelques habitants d'Erinsborough, hypothétique banlieue de Melbourne.

À défaut d'avoir une intrigue des plus crédibles, la série s'est dotée d'un générique d'une mièvrerie inégalée. Il y est question des « bons voisins qui peuvent un jour devenir de bons amis ». Comme tout Britannique, même sans avoir regardé un seul épisode de la série, je suis capable de fredonner la rengaine. Cette musique énervante, les Allemands l'appelleraient un *Ohrwurm*, un « ver de l'oreille » et les italiens un « *tormentone* ! ».

Ce générique eut néanmoins un impact inattendu. Des téléspectatrices australiennes regardaient chaque soir à la même heure la série pendant leur grossesse. Après l'accouchement, les nouveau-nés réagissaient dès les premiers jours à la musique qui semblait même leur procurer un sentiment de repos et de bien-être !

Si, avant même de naître, nous entendons ce genre de sottise, on peut se demander ce que nous percevons d'autre ? Si des bruits ont un tel

191

effet sur nous pendant la période de gestation, imaginez les répercussions que doit avoir une source sonore nettement plus présente : la voix de la mère ! Qu'entendons-nous au juste suspendus entre la cavité corporéale, le canal endocervical et l'isthme ?

Écoutez ! il n'y a rien à voir

Jamais auparavant les embryons et fœtus ne furent scannés, sondés et scrutés comme le font chercheurs et scientifiques aujourd'hui. Depuis le début de notre siècle nous sommes de plus en plus à même de mesurer leurs moindres mouvements et de détecter leurs plus minuscules réactions. Vous pensiez peut-être comme moi que nous commencions véritablement à apprendre nos langues maternelles une année environ après la naissance, voire plus.

Je repense à cette anecdote, peu crédible, certes, mais qui n'en demeure pas moins sympathique selon laquelle Einstein n'aurait pas parlé jusqu'à l'âge de trois ans, lorsqu'il déclara promptement à ses parents « cette soupe est nettement trop chaude ! » Ceux-ci, ébahis par une telle éloquence, lui demandèrent pourquoi il n'avait rien dit auparavant. Le génie leur aurait rétorqué que, « jusque-là, tout était parfait ! »

Pour entendre quelque chose, il faut une oreille. Sur des clichés radiographiques qui montrent le développement fœtal, celle-ci est un des tout premiers organes à se former. Les tissus auditifs prennent forme dès l'âge de six semaines. Si l'oreille est parfaitement reconnaissable déjà à neuf semaines, à six mois elle est fonctionnelle, contrairement à l'œil par exemple.

Le liquide n'est certes pas le meilleur convecteur de sons. L'oreille humaine est en général sensible à des sons entre 20 Hz et 20 KiloHz. Seuls les sons émettant sur la fréquence la plus basse, à savoir entre 20 Hz et 800 Hz, sont capables d'atteindre l'oreille du fœtus.

La preuve qu'ils ont entendu quelque chose avant de naître est que les bébés, quelques jours à peine après l'accouchement, sont capables de distinguer la voix de leur mère des autres voix féminines. De plus, les nouveau-nés ressentent un net attachement pour la langue parlée par la mère pendant la grossesse.

On a étudié la réaction de bébés dont les mères sont bilingues mais qui n'ont parlé qu'une de leurs deux langues pendant la grossesse. Les bébés réagissent aux sons de la voix et de la langue qu'ils entendent dans le ventre, et sont moins réceptifs à la voix lorsqu'il s'agit de l'autre langue pourtant parlée avec la voix maternelle. On s'habitue *in utero* aux cadences, au rythme et à la musique de *sa* langue, même si l'on n'entend pas encore les mots. Notre « langue maternelle » est ainsi inscrite dans les cellules qui forment les tissus de notre corps.

Pour mieux comprendre cet attachement à la musique de la langue maternelle, il suffit de prendre l'exemple le plus flagrant de deux langues qui ont une musique tout à fait différente, en l'occurrence les nôtres, français et anglais ! En effet, en dépit de tout ce que nous avons en commun, notamment au niveau étymologique, il y a un domaine où le français et l'anglais sont diamétralement opposés : c'est celui du rythme.

Pour comprendre l'importance du rythme dans la maîtrise de sa propre langue, il est nécessaire de faire un détour par la phonétique. Cet aparté va en outre expliquer pourquoi il nous est si difficile de chaque côté de la Manche « d'attraper » nos rythmes respectifs, surtout lorsque, adultes, nous apprenons la langue de l'autre. Ayant été dix ans lecteur d'anglais enseignant la phonétique dans différentes universités en France, je suis étonné que ce qui suit ne soit pas dit plus tôt au lycée, car c'est rien de moins que le b-a-ba de la prononciation anglaise ! J'ai dû en revanche l'apprendre moi-même pour pouvoir l'enseigner justement parce que ma connaissance de ma propre langue est innée et acquise dès mon plus jeune âge, dans le ventre de ma mère !

De Shakespeare et de ses schwas

Le français est une mitrailleuse à syllabes, l'anglais bombarde ses phrases avec les coups de canon que constituent ses syllabes accentuées...

On pourrait croire que c'est la grande différence entre langues latines et nordiques. Pas du tout ! Il n'y a qu'à écouter l'italien. C'est une langue du Sud sous l'emprise du stress syllabique ! On voit par exemple le contraste lorsque des journalistes français prononcent le nom de famille de Silvio Ber-lu-sco-ni en attribuant une même importance à chacune des quatre syllabes. Les Italiens exécutent, eux, un allegro forte sur la troisième syllabe : Ber-lu-SCON-i.

Prenez des bananes. Les deux « a » sont prononcés de la même façon en français. Demandez une *ba-na-na* à un épicier britannique et la riposte risque d'être aussi pesée que votre fruit ! Il y a tout simplement trop de « a's » dans le mot anglais pour que chacun puisse être prononcé pleinement. Seul le deuxième est accentué, les deux autres prononcés comme la première syllabe de *fe*-nêtre en français. Ces syllabes sont donc réduites, écrasées même comme l'on dit dans les manuels de phonétique anglais. Nous avons affaire au *schwa*, terme phonétique emprunté à l'hébreu où ce mot désigne le vide le plus total. Pourquoi le choix du *schwa*? Il suffit d'ouvrir vaguement la bouche et de faire vibrer les cordes vocales. C'est un son qui ne requiert presque aucun effort.

70 % des voyelles anglaises dans des situations non accentuées sont prononcées avec ce son neutre. Si l'on demande aux francophones comment se prononce le mot *to* en anglais, ils reproduisent quelque chose de similaire au mot « tout » en français. Il n'en est rien ! La plupart du temps, (sauf lorsqu'il se trouve à la fin d'une phrase), ce mot n'est pas accentué, du coup écrasé et prononcé comme un schwa !

Même les francophones les plus doués en anglais ont du mal à prononcer correctement la phrase suivante... *I know that that man is John*, (je sais que cet homme est John). Instinctive-ment, suivant le rythme de sa propre langue, un français prononcera de la même façon les deux mots *that*. Logique ! me direz-vous, c'est le même mot. Pas du tout ! Le premier (signifiant « que ») est inaccentué donc prononcé avec un *schwa*, ce qui le différencie nettement du deuxième *that*, fortement accentué celui-ci car il désigne

« celui-là » et se dit avec un « a » aussi ouvert que la voyelle du *cat.*

La chasse au schwa en anglais est un jeu d'enfant. Dès lors qu'un mot a plus d'une syllabe, il y a de fortes chances qu'il en contienne : un doct*or*, *a*bout, Lond*on*, *a*ppointm*ent*, etc. La grande majorité des autres voyelles inaccentuées de l'anglais sont « écrasées » au son « i » (dit « relâché » par les spécialistes) qui est le même son que dans le mot *ship*, navire… à ne pas confondre évidemment avec le « i » dit tendu de *sheeeeeeeep*, mouton. C'est le cas dans bon nombre de mots même lorsqu'ils ne s'écrivent pas avec un « i ». Prenez or*ange* par exemple ou wom*en*, où les deuxièmes syllabes sont prononcées « i ». Les anglophones poussent la perversité phonétique jusqu'à prononcer parfois même la lettre « u » comme un « i » : on la trouve dans la deuxième voyelle du mot min*ute* lorsque c'est le synonyme de la minute française. Prenez mon prénom. En France on m'appelle très sympathiquement « Alèxe ». En Grande-Bretagne, ma première syllabe est fortement accentuée, ma deuxième réduite au pauvre « i », ce qui donne une prononciation anglophone d'« *A*lix ».

Revenons au rythme, nous ne sommes pas au bout de nos surprises ! Cela semble une évidence que la prononciation d'une phrase qui a trois syllabes (« il fait beau ») va durer moitié moins de temps qu'une phrase qui en a six (« il fait beau ce matin »). Pas du tout pour un anglophone ! En anglais ce sont les syllabes accentuées qui déterminent la durée de la phrase.

La phrase *men read books* (les hommes lisent les livres) comporte trois syllabes accentuées. La phrase *The **Englishman** is **reading** the **newspaper** (l'anglais est en train de lire le journal)* n'en contient, elle aussi, que trois sur un total de 13 syllabes en tout. Si on applique la logique du français, il paraît normal que la première phrase, lorsqu'elle est prononcée, dure le quart du temps de la deuxième. Loin s'en faut ! Prononcées par un anglophone, les deux phrases ont pratiquement la même durée ! Il serait tout aussi inconcevable de dire rapidement *men read books* que de traîner sur chacune des syllabes de l'autre phrase.

Ce sont leurs rythmes respectifs qui rendent le français et l'anglais si différents, si opposés. C'est la raison pour laquelle la poésie française s'écrit en alexandrins, où c'est le décompte des syllabes qui l'emporte. Ce serait inconcevable en anglais ! Shakespeare est en *blank verse*, où chaque vers est constitué d'un nombre régulier de battements fournis par les syllabes accentuées... *To **be** or **not** to be, **that** is the **question** !*

Pourquoi on ne dit pas tout cela aux gens lorsqu'ils essaient d'apprendre l'anglais, plutôt que de leur raconter que *to* est prononcé « tout » ! C'est absolument nécessaire pour comprendre le rythme de la langue.

Des « r » mouillés, des clics et des Anglais *dégoûtés*

Les psychologues Jacques Mehler et Peter Juscyk ont élaboré un système de mesure de la réactivité des nouveau-nés qu'ils ont appelé la *high amplitude sucking* (le suçage à haute amplitude), le HAS pour les intimes. Ils ont comparé les HAS quelques jours à peine après l'accouchement des nouveau-nés à qui ils ont fait écouter leur langue maternelle puis un enregistrement dans une autre langue. Conclusion : les bébés français de quatre jours tètent plus vigoureusement lorsqu'ils entendent le français que lorsqu'on leur passe du russe qui a un rythme qui se rapproche davantage de l'anglais.

Ce qui est plus épatant c'est que, contrairement à tout ce que l'on a pu imaginer, les bébés sont de parfaits petits linguistes dès leur naissance, beaucoup plus doués que les adultes ! Contrairement aux idées reçues nous n'acquérons pas forcément des capacités phonétiques en devenant plus âgés, au contraire, nous nous appliquons à les perdre !

Le fait de parler repose sur la capacité, unique à l'homme, de moduler l'air qui sort de ses poumons, soit en faisant vibrer nos cordes vocales – ce sont les voyelles – soit en y apportant toute une série de barrières et d'obstacles avec nos langues, nos dents ou nos lèvres : ce sont les consonnes. Il y en a même qui modulent le libre passage de l'air en y opposant l'étendue de leurs cavités nasales... en particulier les Français ! L'inventivité phonétique de l'homme n'a pas de limite. Tout ce qui est dans la bouche est bon pour entraver et influer sur l'air afin de produire les bruits les plus spectaculaires.

Il y a des sons qui semblent impossibles à reproduire si l'on ne les apprend pas tôt. Ce n'est pas impossible pour un anglophone d'apprendre, par exemple, à rouler des « r » à l'italienne. Le plus spectaculaire que j'ai jamais entendu fut émis un soir sur la terrasse d'un restaurant de Stresa. Une jeune femme, excédée par les excuses peu convaincantes de son compagnon, lui lança soudain un mémorable « tu me les casses ! » qui fut nettement plus retentissant en V.O. : *tu me le rrrrrrrrrrrrrompi !* J'arrive plus ou moins à rouler les « r's » dans un mot comme celui-là, mais c'est un effort conscient à chaque fois. Lorsque ces mêmes « r » sont planqués derrière un « t » en revanche, comme dans le mot *tre* (trois), il faut que je m'applique *très* consciencieusement. Et le résultat, selon mes sources italiennes, est mollement convaincant.

Mais prononcer l'italien est un jeu d'enfant comparé aux défis phonétiques lancés par le russe. Prenez le son très particulier qui s'écrit ы dont j'ai toujours pensé qu'il devrait être désigné comme le « i étranglé ». Il consiste en une sorte d'éructation aiguë émise, comme si la personne s'étranglait. La situation se complique lorsque vous associez ce son imprononçable à la nécessité de « mouiller » l'ensemble des sons de cette langue.

Ils ont des consonnes normales comme nous, les « p » ou le « t », mais ils les « palatalisent » en permanence, en collant une sorte de « i » derrière, comme dans le prénom P*i*otr. Ainsi il faut rouler les « r » mais par-dessus le marché il faut parfois les mouiller !

Parmi les sons les plus incroyables, les clics des langues africaines résultent d'un effort de succion aigue entre la langue ou les lèvres. Le !Xu en propose jusqu'à 48 ! Il est difficile d'imaginer comment quelqu'un pourrait les reconnaître puis les reproduire, sans en avoir fait le long apprentissage pendant ses premières

années formatrices. On n'a qu'à voir nos difficultés, Français et Anglais, vous à sortir nos « th »,
et nous à enchaîner rapidement ou et u, chose à
laquelle la plupart des anglophones n'arrivent pas
dou tout.

Les clics sont totalement absents des langues
européennes, du moins dans la formation de nos
mots habituels. Ceci ne signifie pas que nous n'y
ayons pas recours dans quelques cas excep-
tionnels. Nous, Français et Anglais, en faisons un
lorsque nous rappelons nos chiens par exemple.
Il consiste en un retrait rapide de la langue du
haut du palais, en y laissant exploser le son. Les
Britanniques y ont recours, qui a droit à sa version
écrite, « tut tut », pour marquer leur désapprobation. On le retrouve même sous forme de verbe,
lorsqu'on somme quelqu'un d'arrêter de l'émettre
en permanence : *stop tut-tutting !* Dans l'imagi-
naire collectif britannique, ce clic est associé à
ceux que l'on appelle *the disgusted of Tunbridge
Wells.* Il s'agit des habitants de cette ville conservatrice au sud de l'Angleterre qui sont connus
pour les lettres qu'ils envoient au quotidien *The
Times* se plaignant de la tournure épouvantable de
la vie moderne...

Deux d, des p et des potes...

Ce qui est vraiment étonnant et qui va à l'encontre de tout ce que l'on a pu croire, c'est que les nouveau-nés sont nettement plus sensibles que les adultes aux sons, pas uniquement ceux de leur langue maternelle, mais même à d'autres sons que nous n'entendons plus !

Prenez les « d » du hindi. Il y en a deux, contrairement à l'anglais et au français. Celui que nous n'avons pas est un dénommé « d » *rétroflexe*. Je me suis aventuré une fois assez imprudemment à tenter sa reproduction, exhorté en la matière par une table de ressortissants indiens à Londres. Mes approximations aspergèrent de postillons mes poppadoms.

Nous autres adultes britanniques sommes incapables de reconnaître et encore moins de reproduire ce « d » totalement absent de notre langue. Il a été démontré récemment que des bébés anglais de huit mois perçoivent sans mal les deux sons. Ces bébés perdent en revanche cette capacité aux alentours de dix mois, âge auquel ils se focalisent davantage sur le seul « d » dont ils auront besoin, celui de leur langue maternelle.

On a constaté aussi que des bébés canadiens reconnaissent des sons qui leur seront absolument inutiles dans leur parcours linguistique, en l'occurrence des consonnes tchèques et polonaises, inconnues au français ou à l'anglais parlés sur place.

La situation est encore plus intéressante chez les Coréens. Nous voyons une nette différence entre le « l » dans « Séoul » et le « r » dans « Corée ». Les adultes coréens ont du mal à distinguer ces sons et vous diront, en les entendant, que c'est la même voyelle. Les bébés coréens en revanche les entendent bien comme deux sons différents…

Plus on regarde de près ce qui se passe dans nos bouches lorsque nous parlons, plus il y a de quoi s'émerveiller ! Nous accomplissons à chaque phrase de véritables performances. Prenons un exemple assez banal de ce que vous faites pratiquement dans chacune de vos phrases. Le « b » de bout n'est pas du tout le même son, phonétiquement parlant, que le « b » de bébé lequel est réalisé beaucoup plus sur le devant des lèvres. Néanmoins, vos langues savent anticiper la voyelle qui va suivre dès le début du mot. Elles sont beaucoup plus plates quand le son *ou* est imminent, et s'y adaptent avant même que le début du mot ne soit prononcé.

Prenez le mot anglais *happen*, se produire. Même des anglophones vous diront qu'ils le prononcent comme son nom l'indique : « h a p n ». Et pourtant ce n'est pas vrai ! La plupart du temps le *n* final est transformé en *m*, ce qui permet de relâcher le restant d'air par le nez et de garder la bouche fermée à la fin du mot, le tout dans un souci d'économiser les efforts et de mieux attaquer la suite de la phrase ! C'est ce genre de gymnastique qui a lieu en permanence dans nos bouches, quelles que soient nos langues. Nous apprenons ces astuces dès le plus jeune âge. Il est difficile de les acquérir plus tard. Trouvez un Français qui prononce la fin de *happen* avec un *m*, et vous êtes en face d'un véritable génie de la phonétique !

Comme si cela ne suffisait pas à rendre le fait d'apprendre une langue étrangère difficile, il s'avère que nous ne prononçons pas de la même façon des sons qui a priori se ressemblent. Pour un *t* français la langue entre en contact avec le haut des dents, le rendant plus « sec » que le *t* anglais lequel, lui, est réalisé avec un contact contre le palais. Nos *p* sont également différents, plus « aspirés » que les vôtres. Pour s'en convaincre il suffit de placer quelques minuscules morceaux de papier sur le revers de sa main. L'on approche sa bouche. Si l'on prononce bien le mot français « pot », les morceaux ne bougent pas. Dites *pot* à l'anglaise et vos aspirations seront récompensées par une pluie de confettis…

Yoyo Ma, ma, ma, ma et ma

Avant de naître, nous sommes habitués au rythme de notre langue maternelle et à sa cadence. Après nous devons désapprendre de nombreux éléments avant de pouvoir nous concentrer sur les sons qui nous seront nécessaires pour commencer à parler. Il reste donc un tout dernier élément dans notre apprentissage : la musique même de la langue, les notes et les gammes qu'elle parcourt.

On a l'impression que certaines langues sont plus « chantantes » que d'autres. Elles ont forcément recours à des variations dans les notes musicales.

Les Allemands se disaient au revoir avec l'encombrant *Auf Wiedersehen*. Ce mot a cédé la place au sympathique *Tchüss*, l'équivalent de *ciao*. Il est assez rare en revanche de le prononcer de façon monocorde, comme un *Schluss*. Au contraire, des millions de fois par jour, dans des millions de circonstances différentes, la nation allemande chante ses adieux en partant d'une note étonnamment haute avant de descendre tout en bas des résonances teutonnes.

Les notes sur certains mots apportent même du sens. La réplique la plus connue du théâtre anglais est dans la pièce *L'importance d'être Constant* d'Oscar Wilde au moment où la terrifiante Lady Bracknell apprend que son futur beau-fils a été trouvé, bébé, non seulement à la gare de Victoria mais, comble de l'horreur, dans un sac à main ! Jamais ce dernier mot ne fut dit avec autant de mépris, autant d'incrédulité, autant d'effroi que par l'actrice Dame Sybil Thorndike *herself* dont la voix parcourut facilement toute une octave…

Certes, nous jouons de cette façon sur la musique dans nos langues occidentales. Si ces modulations peuvent appuyer le sens, elles ne sont pas pour autant déterminantes pour comprendre la différence entre deux mots. Dans ce domaine nous sommes, une fois de plus, minoritaires !

Prenez un son particulièrement simple – peut-être le plus simple de tous puisqu'il associe l'une des consonnes et l'une des voyelles les plus faciles à dire – *ma*. L'on peut dire *ma* de façon plate, sans changer la note. On peut également monter la voix en terminant vers le haut (comme ferait un Américain qui se demande de façon soucieuse si c'est sa mère qui vient de rentrer chez lui : *ma ?????*) On peut également descendre la voix, puis il est possible d'effectuer même une petite arabesque au milieu du mot. Si vous avez fait cela, vous aurez le plus naturellement du monde prononcé les quatre mots mandarins pour : « mère », « cannabis » « disputer quelqu'un » et « cheval ».

Il n'est pas étonnant d'apprendre que ceux qui grandissent en écoutant une langue « tonale » ont dix fois plus de chances que nous en Occident d'avoir l'oreille absolue, cette capacité à citer le nom d'une note de musique quand on la joue de façon isolée. Le celliste Yo Yo Ma doit très certainement cette aptitude à ses parents chinois.

La majorité des langues parlées jouent beaucoup plus avec la symphonie phonétique de leurs propres mots que nous. On comprend mieux cette nécessité pour le mandarin lorsque l'on sait que tous les mots de la langue sont des monosyllabes. Et pas n'importe lesquels ! Des règles draconiennes interdisent, par exemple, les mélanges de consonnes (en dehors de *ds*, *ts* et *tch*), au début des mots. De plus, chaque monosyllabe doit se terminer soit par une voyelle, soit par un groupe particulièrement restreint de consonnes. Il n'y en a que six en mandarin standard, et dans certains dialectes du nord de la Chine, seuls deux sons peuvent boucler les syllabes, à savoir *n* ou *ng*. Il ne faut pas être mathématicien pour conclure que, avec des règles du jeu aussi strictes, le nombre de permutations syllabiques est fort restreint, d'où la nécessité de jouer sur les tonalités. Le mandarin est une chose. Le cantonais dénombre, lui, jusqu'à neuf tonalités différentes. Comme dirait mon amie américaine *it's a whole new ball game !*, c'est une autre paire de manches !

Le capharnaüm dans les chrome-domes et les aquariums

Nous voilà donc sensibles aux sons, au rythme et à la musique de nos langues maternelles. Quel est le premier son sur lequel nous opérons ce miracle qui va devenir quotidien d'y associer du contenu ?

Nous l'avons déjà vu, *ma* signifie déjà la *mère* en chinois. C'est le cas dans bon nombre de langues du monde, ce qui n'est évidemment pas une coïncidence puisqu'il s'agit du son le plus basique. Il suffit d'une ouverture des lèvres associée à la voyelle qui vient tout droit du fond de la gorge. C'est le cas aussi en russe, *mama,* ou encore le hindi *ma,* et même en arabe où l'on retrouve les deux mêmes sons mais dans l'ordre inverse : *ahm.* Même chose pour le « paaaaaa » que l'on décline un peu partout pour les pères de la planète.

Ce qui est plus curieux, c'est ce redoublement de consonnes pour ces premiers mots prononcés. Après tout, si le son est si facile à reproduire, pourquoi les parents ne se contentent pas de dire, et les bébés ne sont pas ravis d'entendre un simple monosyllabe plutôt que les différents *mama, maman, papa, daddy, mummy* pour ne rien dire des *mémés* et *pépés,* ou les *nana* qui désignent les grand-mères anglaises et allemandes ?

Des chercheurs à l'université du British Columbia ont suivi l'activité cérébrale de 22 nouveau-nés, de deux à trois jours. On leur a fait écouter des mots inventés dits par des voix très différentes. L'activité cérébrale chez les nouveau-nés était plus intense lorsqu'ils entendaient les mots contenant des syllabes à répétition. Les chercheurs ont pris soin de bien mélanger des mots qui avaient des syllabes répétées comme *mubaba* et *penana* avec d'autres mots qui n'en avaient pas *mubaké* et *penaku.* Seuls les premiers semblaient titiller les nouveaux arrivants.

Une fois qu'ils ont accroché les sons « mama » et « papa » aux personnes de leur entourage, quel genre de mots nos nouveau-nés acquièrent-ils ? Souvent ils apprennent leur prénom. La façon de l'utiliser a une répercussion sur la façon dont ils assimilent d'autres mots. Dès l'âge de six mois un bébé peut non seulement reconnaître la façon dont d'autres le désignent mais il assimile plus facilement d'autres mots dès lors qu'ils y sont associés. Si l'on dit, par exemple, « c'est la tasse » et puis « c'est la tasse de Paul », l'attention de Paul sera plus grande s'il entend la mention de son prénom que si on lui dit simplement c'est la tasse « de Mary ».

À l'âge de dix mois environ les bébés sont capables d'apprendre deux mots par heure dès lors qu'il s'agit de mots qui se rapportent directement à leur univers. Une fois les mots appris, nos apprentis linguistes commencent à formuler sinon des phrases, au moins quelques associations. Ces unités de sens sont en général composées de deux idées reliées ensemble et les enfants du monde entier disent plus ou moins la même chose : Notre voiture, tout mouillé, bye bye maman. Ensuite, aux alentours de dix-huit mois, ils commencent à s'intéresser à des objets qui ont une importance dans la vie d'autres personnes. Et là c'est l'explosion des mots !

Une expérience intéressante en matière d'enseignement des premiers mots et du langage est fournie par une série télévisée qui avait fait fureur dans les années 1990. L'expérience est intéressante justement parce qu'elle était ratée ! Rares sont ceux qui ne sont pas tombés un jour sur les Télétubbies, littéralement les « télé-dodus ». Le service de vente de la BBC avait réussi à persuader la moitié de la planète de l'utilité pédagogique de ces poupées multicolores dont la seule occupation se résumait à chasser des lapins dans un décor vert pomme avant de disparaître dans leur « chrome-dome » pour y consommer de vastes quantités de crème anglaise.

La série, destinée aux enfants de un à quatre ans, connaissait un grand succès auprès de son audience cible constituée d'enfants en bas âge ainsi qu'auprès des parents soucieux d'appliquer *in situ* les dernières trouvailles de la recherche linguistique. Elle était très appréciée aussi, paraît-il, par des adolescents ayant du mal à dormir après une consommation excessive de produits psychotropes dans des *rave-parties* !

Les pédagogues qui conçurent la série trouvaient qu'elle était « révolutionnaire ». Cela en raison de son approche de la communication enfantine. Les « dialogues » de ces poupées avaient été conçus en s'inspirant d'études portant sur la façon dont les bébés acquièrent les sons et les mots de leur langue. Quelques années après, on est rassuré de constater que ceux à qui l'on imposa la série n'émettent pas pour autant les mêmes couinements stridents que ces agaçantes poupées.

À titre d'anecdote, et pour montrer à quel point la série était supposée marquer les jeunes têtes blondes, la droite conservatrice américaine tenta par tous les moyens d'interdire la série sous prétexte que l'un des protagonistes, Tinky Winky (celui dont le crâne est affublé d'une antenne parabolique mauve), tenait toujours dans sa patte un sac à main, ce qui en faisait, du moins pour le dirigeant du mouvement, Jerry Falwell, le porte-parole insidieux du mouvement gay !

Cela dit, pour être honnête, les séries pour enfants de la BBC ne sont pas à leur premier malentendu. Bien avant les Télétubbies, dans les années 1960 déjà, lorsque je fis partie de cette même « audience cible », la vénérable institution diffusait un dessin animé narrant les aventures d'un capitaine de navire, Captain Pugwash. Entre nous, parler d'un dessin « animé » est un peu exagéré puisque ledit capitaine était représenté par une effigie découpée en carton laquelle, plantée sur un bateau, se contentait de vagues mouvements à droite et à gauche pour simuler la houle, tout en ânonnant de longs monologues ennuyeux.

L'un de ses matelots s'appelait Master Bates, Maître Bates, mais dont le nom en anglais est un parfait homonyme de « il se masturbe ». Il y avait également un autre matelot dans l'équipage, un dénommé Seaman (matelot) Staines, parfait homonyme cette fois-ci de « taches de sperme ». Les enregistrements sont perdus et il subsiste toujours un doute sur l'exactitude de ces rumeurs.

Depuis le début du nouveau siècle, donc, nos chers Teletubbies sont tombés en disgrâce, boudés par les bébés et les socio-linguistes de tous genres. Contrairement aux préceptes qui avaient guidé la conception de la série, on sait maintenant que l'impact de la télévision dans l'apprentissage de la langue est nettement moins important que ce que l'on pensait. Certes, les tout jeunes téléspectateurs trouvaient les images divertissantes, le son les berçait, les images les faisaient même sourire. Mais lorsque l'un des protagonistes présentait un nouveau mot, l'identifiant à tel ou tel objet, des bébés de vingt-deux mois n'étaient nullement capables lors de tests de repérage de le reconnaître, même peu de temps après l'avoir vu à l'écran. Lorsque c'était un adulte en revanche qui leur faisait le même rapprochement, et cela en tête à tête, ils retenaient nettement mieux le mot. Ce qui compte surtout, jusqu'à l'âge de deux ans, c'est l'interactivité.

Dans les années 1980 aux États-Unis on conseilla aux parents sourds qui avaient des enfants entendants de les laisser regarder la télévision. On imaginait que c'était une façon parfaite pour eux d'intégrer passivement cette langue que leurs parents ne pouvaient pas leur communiquer. Les enfants n'ont hélas rien appris. Pareil pour des enfants néerlandais dont les parents ne parlaient pas allemand. Ceux-ci laissaient la télévision allumée toute la journée sur les chaînes du pays voisin pour que leurs enfants l'*absorbent*. Résultat : *nichts* ! Les bébés bataves n'ont jamais assimilé la langue de Goethe. Sans contact avec le monde, plaqués devant le poste, les enfants ne semblent pas en mesure de saisir le sens de tous ces sons émis depuis cet étrange aquarium.

Des pinsons, des singes et des chiens fortunés

Il devient de plus en plus évident qu'en matière d'apprentissage linguistique chaque être humain doit profiter, pour reprendre une expression à la mode en anglais, de sa *window of opportunity*, une fenêtre assez étroite où il est possible de réussir. Si l'on n'apprend pas sa langue maternelle dans les premières années de sa vie, il est quasiment impossible de rattraper la situation par la suite. Une langue est apprise différemment, dans une autre partie du cerveau, lorsque l'on s'y intéresse plus tard dans la vie. Ceux dont la simple mention de mots tels que conjugaison ou déclinaison fait froid dans le dos opineront du chef. Chez l'homme, cette fenêtre d'apprentissage commence à se fermer après la sixième année. Même les sourds profonds qui n'ont pas de contact avec la langue des signes pendant leurs premières années ont infiniment plus de mal à l'apprendre que ceux qui commencent tôt.

Tout cela est inné. D'autres animaux ont des capacités « linguistiques » similaires aux nôtres. Des chercheurs ont isolé des œufs de pinsons dans un laboratoire. Les oiseaux grandirent donc sans entendre le moindre chant. Ceci ne les empêcha nullement d'avoir une réaction plus marquée pour les chants provenant de leur propre espèce lorsqu'on leur passa des enregistrements de toutes sortes d'oiseaux. Pourtant, ils n'apprirent pas à chanter.

Les oiseaux sont génétiquement programmés pour reconnaître les leurs. C'est uniquement en compagnie d'adultes de leur espèce et avec un apprentissage *sur le terrain* qu'ils commenceront à chanter eux-mêmes. Leur « fenêtre » est similaire à la nôtre. Une fois dépassés les dix premiers mois, même entouré et encouragé par les plus beaux ténors de son espèce, un pinson adulte qui n'a pas appris à chanter restera désespérément muet.

Il est difficile de fournir une preuve concluante que c'est le même cas pour nous, étant donné le nombre fort réduit d'enfants qui ne parlent pas, lorsqu'il ne s'agit pas d'une incapacité physique ou mentale. Quelques rares exemples existent. Dans les années 1970, François Truffaut connut un grand succès avec *L'Enfant sauvage*.

Le film raconte l'histoire du « sauvage de l'Aveyron », un enfant de douze ans découvert au début du XIXᵉ siècle en lisière d'une forêt après y avoir été abandonné vers l'âge de cinq ans.

Jean Marc Gaspard Itard fut le médecin-chef de l'Institution impériale des Sourds-Muets à Paris. En 1801, il accueillit ce garçon qui ne parlait pas et ne comprenait rien à ce qu'on lui disait. Le médecin, héritier du Siècle des lumières, était persuadé que l'homme devient homme de par la culture et l'éducation. Parmi les cinq buts qu'il se fixa, celui de « le conduire à l'usage de la parole en déterminant l'exercice de l'imitation par la loi impérieuse de la nécessité ». Hélas, après des années de tentatives infructueuses, le médecin conclut dans une œuvre racontant cette expérience : « Si j'avais voulu ne produire que des résultats heureux, j'aurais supprimé de cet ouvrage l'objectif de la parole, vu le peu de succès que j'en ai obtenu. »

Le fait de parler et de comprendre les langues est le propre de notre espèce. D'autres animaux ont des capacités extraordinaires. Les singes sont les animaux qui partagent le plus notre intérêt pour la chose linguistique. Mais même le chimpanzé le plus doué de la terre, un dénommé Kanzi élevé au Centre de Recherche linguistique de l'université d'Atlanta, ne comprend que 200 mots environ. Parler, communiquer, c'est notre spécialité.

Un exemple très parlant vient du Nicaragua. Dans les années 1980, après la révolution, la décision fut prise de regrouper pour la première fois dans la capitale Managua tous les enfants sourds du pays. Cette démarche visait à les sortir de l'isolement dont ils souffraient. Dans un premier temps, on essaya de leur imposer la langue des signes espagnole, la plus répandue sur place. Cela n'a pas pris.

À la grande surprise de tous, en revanche, les professeurs constatèrent que dans la cour de récréation, dans les bus scolaires, et surtout lorsqu'ils étaient seuls entre eux, les enfants avaient commencé à développer leur propre langue, totalement impénétrable pour leur entourage. Cette langue est maintenant devenue *la* variante officielle, enseignée à tous les jeunes sourds du pays.

Nous sommes programmés pour nous parler. Nous sommes presque *condamnés* à une sorte de sociabilité qui consiste à partager librement nos sentiments et nos pensées avec les autres de notre espèce. Nous sommes tenus de nous dire des choses. Nos gènes, les cellules même de notre cerveau nous y poussent. Partout dans le monde, aucun être humain ne saurait résister à l'impérieux diktat de la parole. Même en l'absence de la parole « dite », l'homme s'organise pour parler comme il peut.

Fernando

Fernando est un phénomène. Il parle espagnol, galicien, catalan, portugais, français, anglais, italien, allemand, néerlandais, tchèque, polonais, russe, serbo-croate, slovène, grec et si tout cela n'était pas déjà assez compliqué, l'un des idiomes les plus hermétiques, le hongrois !

La question semble évidente : comment fait-il ? « Il faut plusieurs aptitudes, évidemment une bonne mémoire pour retenir les mots, une sorte de logique mathématique pour comprendre les règles mais, il sourit de manière provocatrice, apprendre une langue, cela reste a f... difficult thing ! »

Il venait de terminer la traduction vers l'anglais d'une maîtrise en russe portant sur la phraséologie. « C'est un exercice totalement frénétique de déchiffrer chaque mot dans une nouvelle langue. Plus on en apprend, en revanche, plus cela devient facile, car on apprend à activer les bonnes parties de son cerveau. »

Si une langue se dégage comme « maternelle » dans son impressionnante panoplie, c'est le galicien. S'il faut chercher une raison à cet acharnement à apprendre les langues, c'est qu'il se sentait un peu comme la brebis galeuse de sa famille. « J'ai grandi en Galicie, ce coin perdu tout en haut et à gauche de l'Espagne. Nous étions coupés du monde, même si notre région est naturellement trilingue. J'entendais le galicien, le castillan puis le portugais dans mon enfance. Je me sentais néanmoins coincé, séparé du reste de l'Europe. Mes parents ne parlaient pas d'autres langues, n'étaient même pas bilingues. Je me suis mis à les apprendre tout simplement pour pouvoir m'évader ! »

Il trouve fascinant le processus selon lequel un mot appris dans une autre langue est d'abord froid et opaque, impénétrable. Ensuite, à force de l'entendre, de l'utiliser, il devient une partie intégrante de son propre mode d'expression. Avec le temps seulement, on devient capable de saisir sa vraie portée « émotionnelle ». Le summum, conclut-il, est de pouvoir intégrer son propre sens de l'humour dans la deuxième langue.

« Certains mots sont plus expressifs dans les unes que dans les autres. Le mot "homme" fait

viril pour moi dans presque toutes les langues
– *man*, *Mann*, *muž*, *uomo*, άντρας en grec. En
hongrois, en revanche *férfi* a quelque chose
d'enfantin, pas tout à fait adéquat. Je me demande
toujours comment un homme hongrois peut
affirmer toute sa virilité lorsqu'il se voit affublé
d'un mot aussi minable !...

Ce qui amuse Fernando avant tout, c'est que
chaque culture se vante d'avoir la langue la plus
difficile. « Je me souviens d'une classe de langue
en Ukraine où le professeur nous citait des études
menées par toutes sortes d'experts dans le monde
entier, qui considéraient que l'ukrainien était
reconnue comme la plus belle et harmonieuse des
langues.

« Chaque langue a ses subtilités, m'explique-
t-il. Les déclinaisons du hongrois et du finnois
sont extrêmement flamboyantes, riches et excep-
tionnelles, tout comme les préfixes et les verbes
perfectifs et imperfectifs des langues slaves. Que
dire en revanche du subjonctif espagnol qui est
extrêmement compliqué mais nécessaire et utilisé
quotidiennement... Certaines langues me
semblent plus profondes et plus poétiques que
d'autres. Le portugais et le polonais ont quelque
chose de solennel, de révérencieux, comme le
hongrois. Et le tchèque regorge de niveaux de style
différents et de nombreuses couches de syntaxe.

Le grec a une énergie, une légèreté spécifique et possède un sentiment incontestable de chez soi que l'on ne trouve pas ailleurs. »

Quand je lui demande pour le français, il répond qu'il est… « simplement beau ! ». « Le français me rappelle le russe, et c'est un vrai plaisir de m'exprimer dans une langue aussi pleine de couleurs. Écouter du français, c'est comme brosser les poils d'un chat. C'est aussi fluide qu'un ruisseau. L'allemand, c'est davantage comme une mer houleuse et il faut ouvrir son filet grand pour rassembler tous les éléments que le flux et le reflux vous envoient dans le filet de la même phrase ! »

Ses origines espagnoles reviennent lorsque je lui demande les expressions les plus drôles. « Justement quand on est au beau milieu d'une situation compliquée avec plein de monde autour, et que tout d'un coup d'autres personnes débarquent, on peut dire *éramos pocos y parió la abuela !* : nous étions très peu et voilà qu'accouche la grand-mère !

Une autre lui vient à la tête. « J'étais hier chez mon patron qui me dressait la longue liste de tout ce que je devais faire. J'opinais du chef, mais lorsque j'en ai parlé à une amie espagnole à la cantine, je l'ai rassurée, toujours avec ironie, que tout cela, c'est "Rita la chanteuse" qui va s'en occuper ! : *lo va a hacer la Rita la cantaora !* » Cette locution s'accompagne d'un geste avec sa main droite qui s'envole en l'air, l'un des doigts y traçant les spirales du plus parfait mépris.

« Parler une langue étrangère crée une deuxième personnalité et une deuxième vie. J'aimerais bien rencontrer quelqu'un avec qui je peux parler toutes ces langues un jour, me confie-t-il. On le dit d'ailleurs en tchèque, *kolik řečí umíš, tolikrát jsi člověkem* : on est autant de personnes différentes que de langues parlées. Il faudrait que je prenne un rendez-vous chez le psychiatre un jour, même si ce ne sera pas évident pour lui d'avoir 16 patients d'un coup ! »

Conclusion

De Bogart, de vodka et de notre culpabilité

Plusieurs conclusions me viennent à l'esprit après une année passée à écrire ce livre et à découvrir tant de choses sur un sujet que je pensais pourtant bien connaître : sur l'évolution des langues, sur le besoin de prendre soin d'elles, sur la façon dont vous considérez la vôtre et la mienne et surtout sur l'apprentissage de celles que l'on n'a pas eu la chance d'acquérir naturellement...

Certains diront que tout ce qui précède sur les zones floues de la traduction n'a guère d'importance. Après tout, si les Néerlandais ont un seul mot (*belege*) pour désigner le moment parfait où le fromage n'est ni trop vieux, ni trop jeune, c'est bien leur affaire et s'il faut quelques mots de plus dans une autre langue pour dire la même chose, ce n'est pas la peine d'en faire tout un gouda !

Justement si ! Cela pour plusieurs raisons. La mauvaise traduction de mots peut avoir des conséquences énormes. Depuis le début de l'ère chrétienne, en Occident, nous ne nous sommes pas remis de notre « expulsion » du Paradis. Bonne nouvelle : il n'en est rien ! Ce serait une simple erreur de traduction. Selon Mary Phil Korsak, traductrice qui s'est penchée pendant de longues années sur les textes en hébreu du livre de la Genèse, le verbe utilisé n'aurait pas le sens d'« expulser » mais plutôt de « quitter son nid ». Il suffit de souffler un peu dans les pages d'un dictionnaire poussiéreux et nous voilà absous de deux millénaires de culpabilité !

Une bonne nouvelle pour les femmes aussi ! Nous sommes en mesure d'effacer des siècles entiers de votre assujettissement : il s'avère, toujours selon la lecture attentionnée de Ms. Korsak, que vous ne seriez plus le résultat d'une simple ablation de la « côte » de votre hypothétique ancêtre masculin. Le texte original précise la façon dont YHWH, Dieu, prit une partie du « ha-adam », de cette « matière vivante humaine » pour en faire une femme. Avant la séparation il n'y a pas de mention précise de l'homme comme individu, pas plus que de la femme. L'erreur viendrait d'un glissement de sens ou de l'interprétation erronée de l'un des premiers traducteurs.

Les problèmes de traduction peuvent avoir des conséquences tragiques plus immédiates. En 1990, le vol 52 de la compagnie Avianca en provenance de Bogotá s'est écrasé à New York, après avoir épuisé toutes ses réserves de combustible. Les pilotes hispanophones avaient demandé un atterrissage de *priority* en anglais, ignorant que le mot n'a pas du tout la même urgence que dans leur langue maternelle, où *prioridad* dénote un cas d'urgence nettement plus critique. Aucun des contrôleurs aériens qui avaient entendu leurs demandes répétées ne s'était rendu compte de l'imminence de la catastrophe. Le crash a fait 73 morts.

La vie serait tellement plus simple si nous étions tous équipés des mêmes traductrices universelles que celles disponibles sur la navette spatiale Star Trek. Pendant leurs allées et venues à la vitesse superluminique jusqu'au fin fond du cosmos, les membres de l'équipage arboraient dans leur oreille une « traductrice universelle ». Une phrase prononcée par diverses entités intergalactiques était immédiatement rendue dans la langue de Shakespeare, du moins dans sa variante américaine. Du vrai plaqué-or intergalactique !

Vu la vitesse avec laquelle évolue le monde technologique, aurons-nous bientôt nos propres logiciels linguistiques implantés sous forme de puces quelque part dans la ouate lourde de nos cerveaux ? Les résultats de nos traductions informatisées laissent en tout cas dubitatif quant à l'idée de passer outre la présence du génie créatif qui nous inspire quand nous parlons. Il suffit de se rendre sur n'importe quel site de traduction sur le net pour constater les dégâts les plus cruels de la traduction robotique.

L'exemple le plus anecdotique est la phrase biblique, « l'esprit est consentant, la chair est faible ». Je tape *The Spirit is Willing, the Flesh is weak* sur le premier site de traduction que je trouve sur le web. Je demande la traduction en français. Le résultat déforme complètement le sens : on lit « L'esprit désire que la chair soit faible ! », le génie virtuel faisant visiblement fi de nos humbles virgules. Le résultat fut plus cocasse encore lorsque quelqu'un demanda à un robot-traducteur sur internet de transposer cette même phrase anglaise vers le russe. Il prit ensuite la traduction proposée et la soumet à nouveau dans l'autre sens, pour voir si la machine restituait l'original tel quel en anglais. Pas du tout ! Au contraire, le résultat de cet aller-retour entre les deux langues était pour le moins inattendu : « Le vodka est bien, mais la viande laisse à désirer ! »

Nos langues sont des zones de créativité infinie. Chaque phrase que nous prononçons est une trouvaille. Elles sont parfaitement uniques. Et le génie créatif qui nous inspire dans nos choix linguistiques obéit souvent à une logique délicieusement insaisissable. Lorsque Humphrey Bogart regarde le rimmel d'Ingrid Bergman au moment où celle-ci doit repartir dans les brumes vaporeuses de l'aéroport de Casablanca, sa voix, mêlée au vrombissement des moteurs, lui dit en anglais : *Here's looking at you.*

Jamais auparavant cette phrase ne sortit de la bouche d'un anglophone. Elle n'a pas de sens. C'est une façon totalement inattendue de dire « je te regarde ». C'est sa bizarrerie même qui nous émeut, incarnant le moment de façon infiniment plus poignante que n'aurait fait la version plus correcte, *Here I am, looking at you* (me voici et je te regarde). Aucun automate programmé pour singer nos moindres moues amoureuses ne serait capable de créer une phrase comportant autant d'émotion. De même, aucun francophone n'a jamais pu m'éclairer sur l'origine de la géniale expression « fume, c'est du belge ! ». Elle est tout aussi parfaite dans son épatante incongruité !

Si je m'intéressais tant aux langues à l'école, ce ne fut malheureusement pas le cas pour les mathématiques. Dans les années 1960 en Grande-Bretagne on affectionnait beaucoup les diagrammes de Venn. J'ignore jusqu'à ce jour qui était ce monsieur mais il était à l'origine de ces schémas géométriques composés de plusieurs cercles et utilisés couramment pour l'étude des relations entre ensembles. Certaines parties des cercles convergent, d'autres restent vierges de tout contact. Nous passions de longs après-midi à en tracer les contours avant de procéder à la coloration des différentes parties, rêvant du moment où nous vaquerions à des occupations plus prenantes. Je pensais sincèrement ne jamais avoir besoin d'elles mais voilà que du fond de ma mémoire surgissent ces formes concentriques. Elles constituent la métaphore la plus parfaite de ce qui se joue entre les langues...

Nos langues évoluent dans un espace flou. Les lignes décrivant les cercles commencent à être de plus en plus perméables au fur et à mesure qu'on les regarde sous le microscope de nos idées, de nos émotions et de nos valeurs culturelles. Les zones communes sont des endroits parfois crépusculaires. Dans notre inconscient linguistique nous sommes souvent, pour reprendre le sens de l'une de mes expressions préférées de votre langue, quelque part entre « chien et loup ».

L'une des questions que l'on pose le plus souvent aux gens qui habitent dans cette zone frontalière est de savoir dans quelle langue ils rêvent. C'est sans doute plus intéressant de la poser à des gens qui sont véritablement bilingues de naissance, ce qui est loin d'être mon cas. J'ai néanmoins fait une expérience assez frappante. Il y a quelques années j'ai subi un cambriolage. Quelques semaines plus tard au cours d'un cauchemar, je voyais l'un des cambrioleurs rentrer chez moi et, dans mon rêve je sautais du lit en hurlant « foutez-moi la paix ! » Je criais si fort que je me réveillais et ma colocataire aussi. Au petit déjeuner le lendemain matin celle-ci prétendit avoir entendu non pas la phrase en français comme je le pensais, mais *Go away !*. Qu'avais-je dit ? Le rêveur lui-même ne le sait pas...

Si l'on vit entre deux langues, il se peut que certaines choses soient plus faciles dans l'une, certaines dans l'autre. J'ai interviewé une fois Charlotte Rampling pour une émission d'une heure sur la chaîne Voyage. La situation était déjà un peu contrainte et affectée dans le sens où nous étions deux anglophones conversant ensemble en français. Le courant ne passait pas jusqu'au moment où je lui posais la question du choix des langues pour telle ou telle activité. Je termine sur cette question : « Et votre journal intime ? » *In English !* me répond-t-elle. *Of course !* lui dis-je. Ce petit clin d'œil autochtone suffit pour casser la glace. Nous poursuivions en français, mais beaucoup plus chaleureusement.

233

J'écris ce livre en français. Mon précédent livre, nettement plus autobiographique, je l'ai aussi écrit en français. J'ai tenté à plusieurs reprises de le traduire en anglais. Sur le bureau de mon ordinateur il y a quelques dossiers intitulés *Journal of a Budding Pervert*. Aucun des fichiers ne contient plus de 5 pages. Écrire un livre sur un sujet aussi à fleur de peau que ma sexualité était sans doute plus facile à travers le filtre et avec le recul d'une langue qui n'est pas aussi ancrée en moi.

Pourquoi certains Français n'aiment pas les langues

J'ai passé les années 1980 à donner des cours d'anglais dans les établissements les plus variés. Après des tête-à-tête avec des redoublants réfractaires du XVIᵉ arrondissement je prenais le RER pour me rendre à la fac de Nanterre (où, au début de l'année, j'ai eu une fois 250 étudiants, tous là, me disaient-ils pour un cours de « conversation » !) En rédigeant ce livre, j'ai lu de nombreux articles scientifiques sur les dernières découvertes en matière d'acquisition de nos langues maternelles. Que dire donc de la manière dont nous continuons à apprendre celles qui ne le sont pas ?

Une chose est de plus en plus évidente. Si l'on veut que les gens apprennent les langues, il faut cesser de les présenter comme une suite laborieuse de règles grammaticales (la plupart du temps bafouées !) mais plutôt comme une façon de voir le monde, forgée par les expériences et les valeurs uniques de tous ceux qui les parlent. Mes expériences en tant qu'enseignant m'ont persuadé qu'il y a un problème spécifiquement français quant aux méthodes d'apprentissage des langues et que votre système scolaire fait hélas tout ce qu'il peut pour vous décourager !

Je passais mon temps en tant que prof à enlever des points. Si mes souvenirs sont bons, un quart de point équivalait à une erreur d'orthographe, un demi-point à une faute de vocabulaire, trois quarts pour les entraves grammaticales et que sais-je encore. Tout cela afin de comptabiliser le nombre des « fautes » sur 20. Les pénitents ainsi brandis par les stigmates de mon encre rouge dans les marges défilaient devant mon confessionnal, soufflant l'aveu de leurs péchés post-positionnels et égrenant le rosaire de leurs conjugaisons les plus irrégulières.

L'absolution ne vint point ! Comment voulez-vous encourager des gens à prendre plaisir à apprendre les langues lorsque le système lui-même repose sur la sanction ! J'ai peut-être écrit un livre sur mes pratiques sadomasochistes, mais rien dans ma panoplie pourtant exhaustive ne saurait se comparer aux méthodes sadiques avec lesquelles on essaie de contraindre les Français à parler d'autres langues.

Comment voulez-vous avec un système pareil transmettre aux gens le plaisir de s'exprimer dans une langue étrangère ? Il y a une phrase que j'entends avec presque autant de régularité que *My Taylor is rich*. C'est « je n'oserais jamais parler anglais devant vous ! » Pourquoi ? De peur de faire des fautes, *of course !* Et alors ? ! Il n'est pas étonnant que ce système diablement négatif produise des générations de gens qui osent à peine balbutier la moindre syllabe, tendant en permanence une main craintive devant les cravaches fantasmatiques des autochtones.

C'est l'exact contraire, lorsqu'on y pense, de ce que nous faisons avec nos bébés. Le moindre glouglou émanant de leur bouche est acclamé par des hurlements jouissifs de l'ensemble de l'auditoire adulte… « Qu'est-ce que tu parles bien ! » Le système d'enseignement des langues dans les écoles françaises, même s'il a certes évolué depuis que j'y sévissais dans les années 1980, demeure néanmoins essentiellement punitif. La moindre erreur est traquée de façon impitoyable, pointée du doigt et l'apprenant fustigé sur-le-champ !

Les Britanniques dans leur arrogante insularité linguistique ne se donnent même plus la peine d'inscrire les langues au programme scolaire. C'est une cause perdue. En revanche, dans les rares occasions où les langues sont enseignées outre-Manche, au moins ce n'est pas fait avec une méthode aussi décourageante. Les Français ne sont pas, comme on l'entend souvent, génétiquement moins doués pour les langues que les autres. Vous en avez tout simplement « peur ». Les causes sont dans les marges gribouillées des copies de vos lycées d'antan.

De la même façon, ma présence en France depuis trente ans est due, chose paradoxale, à la terrifiante Mlle Bridgewater. Elle nous martyrisait avec vos verbes irréguliers. Son préféré était sans conteste « acquérir » avec ses multiples formes que nous recopiâmes sans répit. Eh bien, nos connaissances de votre si séduisant idiome, il eût fallu qu'on les *acquît* autrement !

Les cours d'allemand constituaient en revanche une source intarissable de plaisirs. Nous avions un jeune professeur dynamique, du nom de Mr. Watson, qui venait d'épouser une allemande. Son amour de la langue de Goethe, illuminé sans doute par celui qu'il ressentait pour elle, rayonnait à travers ses cours. Il nous emmenait fréquemment au laboratoire des langues pour nous faire écouter des chansons en allemand. Nous étions encore dans les années 1960 ! Mais j'ai appris cette langue grâce aux voix rauques et obsédantes de Marlene Dietrich et de Hildegarde Knef dont mes imitations improvisées sont toujours capables d'étonner mes amis, au moins les plus intimes.

Nul ne s'étonnera si, fort de ces expériences et débarqué à Oxford pour étudier les langues, j'avais une nette préférence pour l'allemand. Du coup, puisqu'il fallait passer une année à l'étranger, on m'expédia bien vite en France dans l'espoir de réparer les dégâts dus à la pédagogie bridgewaterienne. Il a fallu que je tombe amoureux d'un Français, puis de votre pays pour retrouver le vrai amour de votre langue.

Parler une autre langue que la sienne, c'est jouissif justement parce que cela demande de prendre des risques ! C'est une perpétuelle remise en question.

Mlle Bridgewater m'apprit donc à son insu une chose précieuse. Si l'on ne prend pas plaisir en apprenant, l'on apprend mal. C'est une leçon pédagogique qui allait me servir des années après, lorsque je produisais l'émission « Continentales » pour France 3. Le but de l'émission était justement l'enseignement des langues. La plupart du temps nous le faisions en piquant des extraits de bulletins d'information dans les grandes chaînes européennes. Pendant l'été, en revanche, on voulait quelque chose de plus léger. J'eus l'idée d'acheter les droits des premiers épisodes de *Chapeau Melon et Bottes de Cuir*.

Pour rester fidèle à notre mission éducatrice, nous inscrivions le lexique de chaque épisode sur le Minitel. La direction de France 3 nous préconisait de mettre quelque chose de plus « sexy ». Erreur ! Ce fut le succès de l'été. Des milliers de gens ont payé pour apprendre des pages entières de listes de vocabulaire anglais. Steed et Mrs Peel ont eu beaucoup d'adversaires inattendus dans la série. Pensaient-ils un jour terrasser aussi les défenseurs d'une pédagogie machiavélique ?

Autre stupidité et cette fois-ci pas du tout liée au système scolaire français. Nous l'avons vu, le cerveau humain est fait pour apprendre des langues très tôt. Puis il perd ses capacités à partir de dix ou onze ans. Faut-il que ce soit justement à ce moment-là que l'on enseigne les langues, contrairement aux maths et aux autres disciplines qui, elles, sont enseignées bien plus tôt !

J'ai une filleule de six ans, Tallulah. Sa mère est allemande et elle lui parle uniquement allemand. Son père est américain et ne s'exprime devant elle que dans sa propre langue. Elle vit à Strasbourg où sa nounou lui parle en français. Ainsi grandit-elle avec trois langues qu'elle parle sans accent, tout en faisant évidemment les mêmes fautes que chaque enfant monolingue. Tallulah va grandir non pas seulement avec trois façons différentes de s'exprimer, mais surtout avec trois cultures. Contrairement à moi qui possède un seul arbre linguistique avec quelques branches, Tallulah a une forêt dans sa tête !

Tous les enfants n'ont pas cette chance, et il faut procéder avec précaution si l'on veut élever un enfant dans un cadre multilingue. Les parents de Tallulah ont pris soin de ne parler chacun que leur propre langue pour éviter un brouhaha incompréhensible. De plus en plus d'enfants grandissent dans des situations multiculturelles. Je le constate dans les conventions que j'anime. Derrière les grands patrons entraînés à ne pas commettre de fautes – du moins les plus voyantes en anglais, il y a toute une génération de jeunes stagiaires avec des parents venant d'horizons différents pour lesquels le fait de s'exprimer dans plusieurs langues est on ne peut plus naturel.

Des études assez récentes appuient les bienfaits de parler plusieurs langues surtout lorsqu'on les apprend le plus tôt possible. Des chercheurs de l'université Northwestern aux États-Unis ont comparé la facilité avec laquelle plusieurs groupes apprenaient les mots d'une langue qu'ils ne connaissaient pas. Ceux qui étaient bilingues, en l'occurrence anglais/mandarin ou anglais/espagnol retenaient nettement plus de mots que les monolingues.

Cet apprentissage peut même protéger le cerveau du vieillissement. Selon une étude de l'université de Tel Aviv des personnes âgées qui parlent plusieurs langues ont en moyenne de meilleurs scores sur des tests cognitifs que les monolingues. L'étude a été faite sur des gens de soixante-quinze à quatre-vingt-quinze ans. Selon le Dr. Gitit Kavé, la neuropsychologue qui mena l'étude, les enfants qui apprennent une deuxième langue protégeraient davantage leur cerveau contre les effets du vieillissement.

Nous sommes un cas à part, nous autres Européens. Nous avons tellement l'habitude de notre monolinguisme sacré, de nos cultures si fières, que nous en oublions que les trois quarts de la race humaine parlent au moins deux si ce n'est davantage de langues. Les Africains surtout ! 90 % des habitants des pays dits anglophones comme le Ghana ou le Nigeria parlent couramment une autre langue locale. C'est la même chose dans le monde francophone. Des Ivoiriens notamment comptent une multitude de langues différentes qui souvent ne dépassent pas leurs propres villages.

Peut-être faut-il avoir recours à des méthodes parfaitement iconoclastes pour rompre avec les traditions scolaires. Prenons l'exemple le plus farfelu. *Crazy English*, « l'anglais taré », une méthode élaborée en Chine. Elle était conçue pour venir en aide aux Chinois, eux aussi terrorisés à l'idée de « perdre la face » en commettant des erreurs. Le principe, un peu douteux certes, est que l'on apprend mieux les choses en les criant. Cette méthode invite régulièrement les élèves à s'installer dans les embouteillages et sur tous les toits de la ville afin d'y « hurler » la langue anglaise. L'Arc de Triomphe vibrera-t-il bientôt au son de la chorale des esclaves, scandant Shakespeare à tue-tête au bon milieu des embouteillages ?

Le hachis Parmentier comme valeur absolue

Un jour, Jean-Pierre Brisset observait des grenouilles dans une mare. L'une d'entre elles lui faisait des « coac » de manière particulièrement insistante. Interpellé, le fou littéraire français se rendit compte que ce bruit n'était qu'une version abréviative de « quoi que tu dis ». Cette révélation est venue soutenir ses convictions, exposées dans ses nombreuses œuvres à la fin du XIXᵉ siècle, selon lesquelles l'homme descendrait de la grenouille et que la langue humaine, surtout lorsqu'il s'agit de son expression la plus parfaite qui est… le français, puiserait ses origines dans les coassements de quelques batraciens dans ces mêmes mares boueuses de la Sologne.

La France doit en grande partie la conception qu'elle a d'elle-même à l'action unificatrice de sa langue. Ce rôle confère un statut tout particulier au français, beaucoup plus que dans d'autres pays. Un sondage paru fin 2009 indique que, sur les éléments essentiels qui contribuent à l'idée qu'ils se font de leur nationalité, les Français classent la langue en tout premier, citée par 98 %. Elle l'emporte sur d'autres notions aussi gauloises que la République, le drapeau tricolore ou la laïcité. Ce n'est pas la même réponse ailleurs. En Allemagne, par exemple, où la langue vient nettement derrière les notions de « naissance » ou de « sang ». Ce n'est surtout pas le cas en Grande-Bretagne, où l'humour, le thé, la Reine ou le cricket sont cités, pas forcément dans cet ordre, mais en tout cas bien avant la langue.

Le résultat de cette hégémonie de la langue dans le « id » hexagonal (et j'y vais avec des gants !) est que l'on ne peut faire la moindre remarque à propos de la langue française sans que celle-ci soit perçue comme une grossière attaque à l'encontre de l'intégrité de la Nation ! J'en pris conscience lorsque j'animais l'émission « Continentales » sur France 3. Si, par malheur, j'osai dire que tel ou tel mot était, peut-être, un peu éloigné des concepts proposés par la langue française, je recevais des tonnes de courriers de gens outrés ! Tous étaient rédigés avec la même fougue par des gens au demeurant charmants mais persuadés que la langue française constitue une valeur absolue. Je suis persuadé que certaines remarques dans les chapitres précédents sur des petites lacunes de votre langue auront hérissé les poils, du moins ceux de mes lectRices qui en sont pourvu(e)s. Oser même insinuer la plus petite défaillance de leur langue et les Français tiquent, se drapant dans le dictionnaire tricolore. Je n'ose imaginer le nombre de lettres qui s'acheminent en ce moment aux bons soins de mon infortuné éditeur.

J'ai eu récemment une conversation avec quelqu'un qui m'expliquait la richesse du vocabulaire français. Sur la pointe de mes pieds métaphoriques, je lui fis remarquer que l'anglais a un vocabulaire plus étendu que le français, ce qui est somme toute assez normal puisque nous avons passé les 500 dernières années à piller les mots de quelque 350 langues à travers le monde. Nos principales sources demeurent néanmoins nos racines étymologiques latines et germaniques. « Commencer » par exemple se dit en anglais *begin* (*beginnen* en allemand) ou *commence* (du français) puis il y a encore le quelque peu bizarre *start* qui débarque d'on ne sait trop où !

Ces emprunts variés enrichirent ainsi l'anglais d'une grande quantité de mots. Rien à faire pourtant. Mon interlocuteur défendit mordicus l'idée selon laquelle le vocabulaire français ne saurait être moins vaste que celui des autres langues, surtout celle, horripilante !, parlée par les vaincus de Hastings. J'ai été jusqu'à lui montrer mon vieux dictionnaire franco-anglais de chez Harraps et la répartition physique des pages d'un côté et de l'autre. Rien à faire ! Il m'expliqua que les mots français avaient un sens plus « précis » que celui des autres langues et qu'elle avait donc moins besoin de place pour les explications…

Tout cela est assez propre à la France. Si l'on dit à des Allemands que tel ou tel mot manque dans leur langue, ils acquiescent et vous demandent comment on le dit ailleurs. Nous les Britanniques, nous avons tellement l'habitude de voir notre langue galvaudée, tiraillée et triturée dans tous les sens que toute remarque à son encontre nous laisse totalement de glace. Les Français en revanche sont tout sauf objectifs dès lors qu'on parle de leur langue. Plutôt que d'admettre que certaines règles constituent une entorse aux préceptes les plus stricts de cartésianisme dont elle est censée être le vecteur, les Français préfèrent inventer leur propre version des règles grammaticales inaltérables, et ceci dès que vous pointez la moindre bizarrerie. Pourquoi, par exemple, le mot « gens » est masculin au pluriel, sauf lorsqu'il est accompagné d'un adjectif possédant une forme distincte du féminin pluriel, auquel cas le mot subit une transformation inouïe de genre dans les annales de la grammaire ?

C'est cette glorification si sympathique de la langue nationale qui rend l'apprentissage des langues étrangères plus difficile. C'est pareil pour la cuisine. J'étais une fois chez Marks and Spencer's. Une dame parcourait avec une curiosité prudente la gamme des produits alimentaires. En tombant sur un *shepherd's pie* elle regarda l'emballage et conclut « c'est une espèce de hachis Parmentier ! » J'ignore si la dame la mangea. Si oui, il y a fort à parier qu'elle ait été déçue, comme on est toujours lorsqu'on voit midi à la porte de sa propre cuisine.

La langue française n'est pas moins illogique, elle est aussi floue et vague, aussi imprévisible, tortueuse mais tout aussi savoureuse que les autres langues. C'est pour cela que nous l'aimons tant, même ceux d'entre nous qui la parlons avec un petit accent !

Comment Audrey Hepburn sirota ses « t »...

Parlons-en justement, des accents, autochtones et autres ! Comme l'a fait remarquer une fois un linguiste américain, une langue c'est « un dialecte qui possède une armée et une marine ». Il en est de même pour les valeurs esthétiques que nous attribuons à telle ou telle manière de parler. Le désavantage de ce jugement est qu'il y a d'innombrables personnes qui grandissent dans une sorte d'auto-haine linguistique, convaincus qu'ils parlent « moins bien » que les autres.

L'italien dont on vante aujourd'hui le chant est l'émanation d'une façon de parler qui passait autrefois pour très vulgaire. Dante avait regardé les différents dialectes possibles pour écrire ses œuvres littéraires et décida de les écrire en dialecte romain, contrairement au latin universellement employé dans les œuvres littéraires de son époque. « De tous les patois italiens, c'est le plus horrible, celui dont le bruit est des plus affreux. Ceci n'est guère étonnant, étant donné la déprédation de leurs us et coutumes », avait écrit l'un de ses contemporains dont la postérité ne retint pas le nom.

Nos jugements sur la beauté des langues sont loin d'être aussi objectifs que nous le supposons. Si l'on demande aux Israéliens, ils vous diront que l'arabe est laid et inversement. Serait-ce un hasard, vu notre histoire, si la plupart des Européens citent spontanément celle de Goethe lorsqu'on leur demande de trouver l'exemple d'une langue

« laide » ? Si on les pousse, ils vous diront qu'ils n'aiment pas l'allemand parce qu'il est « guttural ». Il y a d'autres langues qui le sont nettement plus. Il suffit de se promener cinq minutes dans les rues d'Amsterdam pour s'en rendre compte. Et du point de vue de la simple technicité phonétique, le français, du moins dans sa version « grasseyée » du nord, ne fait pas moins appel aux mêmes outils d'articulation qu'outre-Rhin. Il y a tout autant de « r » de ce côté du Rhin que de « ch » de l'autre.

C'est surtout en raison d'influences politiques, commerciales et économiques que certaines langues dominent aujourd'hui le monde, pas du tout à cause d'une sorte de darwinisme ou concours de beauté linguistique. Le grec parlé à Athènes est jugé plus « pur » que la version parlée en Crète. Saurait-on faire la différence en écoutant les deux ? Si l'on fait entendre des versions du français suisse, belge et parisien à un Anglais qui ne parle pas français, il ne percevra pas l'une ou l'autre comme étant intrinsèquement plus « belle ».

Il y a même des études qui montrent que les personnes parlant une variante « acceptée » de la langue sont jugées comme étant physiquement plus attrayantes. Une fois débarrassé de préjugés fondés sur les critères géopolitiques et historiques, et aussi invraisemblable que cela puisse paraître,

le français parlé dans le VIIᵉ arrondissement parisien n'est aucunement plus « beau » que le français
du Québec ou celui de Marseille.

Ce snobisme, bâti sur de faux préceptes linguistiques, pratiqué dans toutes les langues, atteint
son paroxysme dans mon propre pays. L'Empire
britannique fut bâti sur des diphtongues des plus
douteuses. Si en France on est jugé en fonction
de la façon de s'habiller, chez nous c'est l'accent
qui détermine tout. Je pus le constater un jour
dans une station-service sur une autoroute
anglaise. Devant moi à la caisse une dame pas
particulièrement soignée signait un chèque. La
caissière lui demande la carte qui garantit le paie-
ment. *Oh, it's back in my car* (c'est là-bas dans ma
voiture), répondit-elle avec le « a » du mot *back*
transformé en « e » comme dans *bed*. Je vis le
visage de la caissière se transformer au son de cette
seule voyelle, garante de l'appartenance sociale de
la dame. « Ce ne sera pas nécessaire », dit-elle, en
rangeant le chèque ainsi que ses doutes au fond de
la caisse.

L'un des exemples les plus cocasses de cette
association entre la façon de parler et les origines
me vient d'une jeune demoiselle anglaise demeurant à Paris. Elle avait à ce point intégré le
snobisme phonétique si particulier à notre pays
qu'il lui semblait aller de soi que le fait de faire

appel à ces mêmes sons dans votre langue allait la « placer » immédiatement. Sa réalisation de la voyelle « ô » dans la phrase « à côté de » était une diphtongue pur sang élevée dans les poney-clubs les plus huppés du Sussex.

On retrouve, face à ces diktats de l'accent en Grande-Bretagne, le phénomène inverse, celui de ce que l'on appelle du *inverse snobbery*. Il s'agit de délibérément déprécier son accent. Je le fais souvent quand je suis à Londres. À force de m'éloigner des côtes cornouaillaises, je perds l'accent du coin et m'exprime dans ce que les phonéticiens appellent de façon impénétrable *Received Prononciation*. Face à un chauffeur de taxi londonien je m'entends délibérément adopter l'anglais de plus en plus répandu dans les rues de Londres : le *estuary English*. C'est l'anglais à la mode qui puise ses origines quelque part dans les banlieues aussi brumeuses qu'interminables du Essex et qui accompagnent la Tamise entre la mer du Nord et la capitale. C'est une sorte de Cockney revisité. Sa caractéristique la plus imperméable pour les étrangers consiste en la prépondérance des stops glottiques. Il s'agit d'une sorte de grognement profond et sec. Plutôt que le « t » dental au milieu de *butter* il convient de séparer les deux voyelles avec ce qui s'apparenterait presque à un « clic » laryngal. L'avantage lorsque l'on emploie ce stop avec les *cabbies*, c'est que l'on profite de petits raccourcis et quelques livres en moins au compteur.

Il est tout à fait possible d'échapper au jugement social, et cela dans n'importe quel pays du monde, lorsque l'on se présente aux autres avec un « accent » étranger. C'est une armure contre la classification sociale. Je viens d'un milieu assez modeste en Grande-Bretagne. J'ai remarqué que le simple fait d'avoir un accent anglais lorsque je parle français me situe pour mes interlocuteurs francophones dans des strates supérieures.

Une seule fois – et pour cela il fallut que j'aille jusqu'à Témiscaminque ! – une Québécoise m'a pris pour un francophone, car, comme elle disait : « Tu parles *pointu*, toi ! » Comme on a vu dans le chapitre précédent, si l'on n'acquiert pas une langue avec le biberon, il est pratiquement impossible de la parler comme un natif ensuite. Henry Kissinger quitta l'Allemagne pendant son adolescence, émigrant avec sa famille aux États-Unis. Il conserva un accent allemand très fort lorsqu'il parlait anglais, ce qui ne l'empêcha nullement d'être l'un des secrétaires d'État les plus influents du dernier siècle. Son frère, qui était plus jeune que lui, en revanche, n'avait pas du tout d'accent.

Joseph Conrad, ukrainien d'origine, est l'un des écrivains les plus renommés de la langue anglaise.

Pourtant il faut franchement s'accrocher pour comprendre ce qu'il dit. Il en va de même pour le très Russe Vladimir Nabokov, auteur de *Lolita* (écrit en anglais) qui disait lui-même « je pense comme un génie, j'écris comme un auteur distingué, je parle comme un enfant ». Le charme d'Audrey Hepburn est en partie dû au fait que, de façon presque imperceptible, son anglais conserve les traces de quelques sons appris auprès de son père flamand, notamment les « p » et « t » beaucoup moins aspirés et plus « secs » du néerlandais.

De casques, de Camus et de condiments

J'adore les langues mais, comme beaucoup de personnes, chose qui peut étonner, je déteste les traduire ! Lorsqu'on me demande : « comment dirais-tu en anglais… » voilà que je sombre dans une panique bleue, coincé entre des mondes que l'on me demande de rapprocher mais qui me paraissent, plus je navigue entre eux, désespérément irréconciliables. Pour rien au monde j'aimerais faire le travail des traducteurs, et encore moins celui des interprètes que je croise sans cesse dans les conventions multilingues. Leur travail me paraît une suite interminable de corvées aussi difficiles qu'ingrates. Ils sont enfermés pendant des heures dans des cages insonores, ces fameuses cabines « son » me paraissant aussi sympathiques que les grands terminaux anonymes des aéroports, parcourus par des gens qui n'ont qu'une envie : être ailleurs !

Les interprètes *interprètent* une langue comme d'autres le font avec une chanson. Je les fais toujours applaudir à la fin des événements que j'anime car ils ont le travail de loin le plus ardu. Au Japon, contrairement à l'Occident, la traduction est considérée comme une discipline intellectuelle de haut vol. Une seule seconde d'inattention suffit pour perdre le fil. Ce sont bien les seules personnes à qui l'on demande de parler et d'écouter en même temps, et ceci à une vitesse plus rapide que celle avec laquelle vous parcourez ces lignes. En interprétariat on compte la moyenne des mots à environ 120 par minute, 200 même pour certains interlocuteurs (les Italiens ?) Loin d'être des automates, ce sont de vrais jongleurs de paroles, tenant simultanément dans les airs toutes sortes d'idées diverses.

Souvent les personnes bi-voire trilingues de naissance ne sont pas les meilleurs interprètes. Je suis essentiellement monolingue. Les cellules de ma pensée sont inscrites en anglais. C'est l'arbre de base qui plante la façon dont j'appréhende le monde. Dans mon cas, d'autres langues sont venues pousser comme de grosses branches qui me permettent d'étendre ma vision monolingue, mais tout repasse inéluctablement par les racines profondes. Ceux qui apprennent plusieurs langues enfant n'ont pas un seul arbre linguistique, mais deux voire plusieurs. Et sauter d'un arbre à l'autre n'est pas toujours si facile.

J'ai en mémoire le regard, résumé à la perfection par le mot français « peiné », d'une interprète franco-britannique lors d'une convention internationale sur l'urbanisme de demain. Comme si souvent dans pareilles circonstances un grand rassemblement de spécialistes, transportés tous là par de multiples avions, étaient regroupés dans une salle fortement climatisée pour prêcher à des convaincus les diktats du développement durable. Un éminent chercheur français prit la parole, et nous raconta dans un style lyrique sa vision de la façon dont la croissance démographique et l'évolution des rapports sociaux lancent un défi aux acteurs de la refondation de la cité et aux protagonistes de la grammaire urbaine. Pendant une demi-heure il tenta de faire décoller la salle vers les cumulo-nimbus d'un monde particulièrement abstrait où le français règne en solitaire... Se heurtant continuellement au côté nettement plus terre à terre de l'anglais, le crash linguistique fut inévitable. La traduction était en anglais sans en être.

La voix de Nicole, rauque et sexy, berce les délégués de nombreux congrès. « Lorsque j'interprète, je m'oublie, je deviens l'orateur, il n'y a pas de distance entre eux et moi. C'est presque "animal". C'est comme un acteur à qui l'on donne un texte. On vous donne un personnage. Il faut l'adapter, ou, corrige-t-elle, il faut même *ajuster* le message. » Pour illustrer cela, elle prend tout à coup le sel et le poivre (nous déjeunons), les met aux deux bouts de la table, séparés par la carte. « L'orateur dit : la salière est ici, la poivrière est là, la carte au milieu. Moi je dis : les condiments sont de chaque côté de la carte ! Il faut disséquer le texte, le ressortir dans d'autres mots plus concis, laisser mijoter ou parfois refroidir le sens dans son propre esprit. »

Il y a une épreuve encore plus difficile pour les interprètes. J'animais une fois une convention sur la cardiologie à Vienne où je dus accueillir sur scène le Dr. Hua, un éminent spécialiste chinois en matière de prévention des crises. Hélas, ses compétences en matière de statines dépassaient de loin ses notions les plus élémentaires de la phonétique et voilà que Doctor Hua se lance dans un retentissant monologue de 45 minutes – apparemment en anglais ! –, au cours duquel l'on réussissait à s'accrocher de façon sporadique à quelques repères sûrs, avant de sombrer à nouveau dans le flot incessant de phonèmes impénétrables.

Au terme de ce discours je suis allé demander à l'interprète comment elle avait fait pour reproduire la substantifique moelle d'une intervention aussi hermétique, même pour l'anglophone que je suis. Elle me répondit d'un ton calme : « Oh celui-là, je le connais. Quand je vois son nom sur le programme, je prends l'un de ses articles récents dans un magazine, puis je lis et j'adapte le contenu au rythme de son discours ! » C'est pareil pour les traducteurs de la parole écrite. Parfois la tâche est trop ardue, parfois le schisme culturel trop vaste. Est-ce pour cela que la traduction de la biographie d'Albert Camus par Olivier Todd paru outre-Manche il y a quelques années fut tronquée d'un bon tiers de son contenu ?

De la dégénérescence de la sympathie

Dans son introduction au *Dictionary of the English Language* Samuel Johnson affirme que « les langues, comme les gouvernements, ont une tendance naturelle à la dégénérescence ». Cela en 1755 déjà. On connaît l'Allemand Jacob Grimm à travers ses contes de fées. Ce que l'on sait moins c'est qu'il fut également un linguiste de renom, lequel se lamenta, lui en 1819, de l'état déplorable

de la langue allemande dans les termes suivants…
« Il y a six cents ans, chaque paysan faisait appel de
façon quotidienne à des perfections et à des subtilités qui laisseraient rêveurs même les orateurs les
plus érudits de nos jours. »

On connaît les deux Victor français : Cousin
et Hugo. Après un débat houleux à l'Académie
française sur l'emploi très disputé des doubles
consonnes, le premier se plaignait que le déclin
de la langue française commençât en 1789.
« À quelle heure, s'il vous plaît ? » s'enquit le
deuxième. Tout cela en 1843.

Cette idée du déclin perdure encore
aujourd'hui. Les journaux anglais ainsi que les
émissions de la quelque peu poussiéreuse radio
BBC 4 se font l'écho des cris d'effroi des auditeurs
quant à la dégénérescence de la langue anglaise.
Que de railleries, que de poncifs tirant à hue et à
dia contre toute innovation. Parce que les jeunes
par exemple écrivent « u » dans leurs SMS plutôt
que « you ». Et alors ? Le son habituellement
représenté par « u » est infiniment plus proche de
ce qu'il est censé représenter que le compliqué
« y » suivi de « ou », combinaison vocalique qui
est rarement prononcée de cette façon dans
d'autres mots. L'orthographe anglaise est glorieu-
sement anarchique, le quatuor « ough » pouvant

être prononcé de sept manières, aussi divergentes qu'imprévisibles.

Que Dieu bénisse nos amis américains d'avoir osé injecter un début de bon sens à cette consternante panoplie de bizarreries que constitue l'orthographe anglaise. Ainsi extirpent-ils la présence grotesque du « gh » dans le mot *tonight* pour tenter un nettement plus raisonnable *tonite*. Ils coupent les ponts moyenâgeux au-dessus de la douve linguistique qu'est l'Atlantique en écrivant *center* comme cela se prononce, et non pas pour refléter sa lointaine origine française comme le font toujours mes compatriotes...

Les langues sont des choses mouvantes, excitantes. Elles font des spectacles de transformistes. Prenez par exemple l'extrême précarité de certains adjectifs qui changent de camp sous nos yeux. « Terrible » en français veut dire tout et son contraire. *Sick*, malade en anglais, devient un terme plutôt positif dans les cours de récréation britanniques, *that song is so sick !* Prenez le mot le plus insipide de la langue anglaise : *nice*, sympathique. Au début du millénaire précédent, son ancêtre latin *nescius* signifiait plutôt stupide.

Internet et d'autres médias rendent l'accès à toutes les langues plus facile, ce qui risque paradoxalement de les figer et de les réduire à leur plus bas dénominateur commun. L'anglais parlé dans les rencontres internationales et sur MSN est au mieux une sorte de lingua franca qui n'a plus grand-chose à voir avec le vrai anglais. Dans les rencontres internationales ce sont, paradoxalement, souvent les Américains et notamment les Britanniques qui sont les moins bien compris, non seulement parce qu'ils parlent vite, mais surtout parce qu'ils ont forcément une approche plus viscérale de leur propre langue.

Abordons un autre éléphant dans le placard, pour mixer nos métaphores linguistiques ! L'omniprésence de l'anglais dans le monde. Elle est évidemment le résultat historique de l'impérialisme britannique conjugué à la prédominance économique des États-Unis. Ce n'est pas toute la vérité. Lorsque je produisais « Continentales », soucieux de faire des économies, j'avais eu l'idée d'échanger des cours de français contre les cours de langues en provenance d'autres télévisions du monde. On en recevrait dix pour le prix d'un. Il m'a été répondu à l'époque que « l'argent des contribuables français ne devrait pas aller dans la production de cours pour apprendre une langue que la plupart d'entre eux maîtrisent déjà très bien ». Le résultat de cette politique ? Savez-vous quel est l'organisme qui jusqu'à récemment fait le plus d'argent en produisant et en vendant des cours de français au monde entier ? L'Académie française ? Oh que non ! La *British* Broadcasting Corporation !

Il ne s'agit donc pas toujours de l'impérialisme rampant anglo-saxon. L'anglais domine certes, mais c'est aussi la solution « par défaut ». Ceux qui en souffrent le plus, sans le savoir, sont parfois les anglophones eux-mêmes qui sont de plus en plus cantonnés à un monolinguisme parfaitement réducteur.

Des Jabberwocky, des noix et de Fox P2

Nous disons en moyenne 370 millions de mots dans notre vie. En plus, ces vibrations vocales poussent le vice plus loin puisque, dans la vaste majorité des cas, nos paroles ont l'outrecuidance en général de *signifier* quelque chose. Il ne suffit pas d'ânonner des phrases correctes comme celle, délicieusement ridicule, de Chomsky : *colourless green ideas sleep furiously*, des idées vertes incolores dorment furieusement. Ce n'est pas parce qu'elle est grammaticalement juste qu'elle en est moins idiote.

Personne ne prononce des mots sans l'espoir de se faire comprendre, sans l'idée assez ambitieuse, lorsqu'on y pense, de transmettre nos idées et nos émotions à autrui. À une exception près ! Il s'agit d'un étudiant thaïlandais de vingt et un ans, Panupol Sujjayakorn, qui connait jusqu'à 100 000 mots de la langue anglaise, sans pouvoir en aligner deux ou trois de manière sensée. Malgré les apparences, Panupol ne parle pas du tout anglais. Il a tout simplement appris machinalement le contenu du dictionnaire official des joueurs de Scrabble, dont il est le champion toutes catégories.

Il s'avère que nous devons notre capacité unique à communiquer à une petite excroissance qui pousse sur l'un des multiples gènes de notre ADN. Cette protubérance fut découverte tout récemment et porte désormais le nom de « Fox P2 ». Fox P2 n'est rien d'autre que la protéine qui commande le développement de la chose linguistique dès la formation de nos embryons. Selon les toutes dernières recherches ce seul petit bout d'ADN nous permet d'organiser la matière dans notre cerveau de façon que l'on puisse la remâcher sous forme de paroles. Les animaux peuvent faire des bruits. Nous sommes les seuls à en organiser un nombre aussi mirobolant dans le but de communiquer avec les autres représentants de notre espèce. Fox P2 n'est apparu chez l'hominidé qu'il y a 200 000 ans environ. C'est cette minuscule anomalie de notre ADN qui est responsable de tout ce que vous avez lu et dit, et de tout ce que l'humanité entière lira et dira.

Pourquoi ne fête-t-on pas davantage ces pures merveilles que sont nos langues ? Elles nous paraissent si évidentes que l'on n'y pense pas ! Quelques hommages timides surgissent par-ci et par-là. 2001 fut l'année européenne des langues. Cette fête, boudée par l'ensemble de notre continent, fut au moins remarquée par le monde de la philatélie qui édita des timbres spéciaux en Finlande et au Luxembourg…

On pourrait célébrer nos langues dans le choix de nos rues, plutôt que ces innombrables maires et députés oubliés qui ornent nos parcs et squares. Même les Belges boudent les langues dans le choix de leurs noms de rue, eux qui affectionnent tant les appellations ronflantes à la gloire des idées abstraites. Bruxelles a bien sa rue de La Constitution, celle de la Loi, et même son Impasse de la Fidélité (!). Pourquoi pas créer la Rue du Subjonctif, la place des Chuintants ou l'avenue du Plus-que-parfait ? La seule que je connaisse se trouve dans la petite ville endormie anglaise d'Ipswich où je suis tombé par hasard un jour sur la Syntax Street.

Les mathématiques sont l'expression de notre quête de l'absolu, notre aspiration à des certitudes inébranlables. La musique est celle qui exprime nos émotions les plus profondes. Les langues, que l'on oublie trop souvent, sont la plus parfaite extériorisation de notre simple condition d'être humain. Elles sont ouvertes à tout le monde, conçues par nous, utilisées dans des trillions de petits actes créatifs à chaque instant.

Elles reflètent tout ce que nous sommes. Y compris nos folies. Des originaires de Kalam en Nouvelle-Guinée ont une langue réservée, tenez-vous bien, à la cueillette des noix pandamus. À défaut, selon la légende, les esprits qui habitent ces noix ne se rendraient pas compte que le fruit est sur le point d'être cueilli et le laisseraient pourrir. Notre démesure linguistique est à la hauteur de nos extravagances. Les tchèques, lorsqu'ils « enfoncent leur doigt à travers leur gorge », le font sans avoir recours à la moindre voyelle. Le résultat n'en est que plus onomatopéique et alarmant… Strč prst skrz krk !

Chaque communauté élabore son langage. Comme dit Alice au Pays des Merveilles « d'une façon ou d'une autre cela remplit ma tête d'idées, la seule chose étant que je ne sais pas lesquelles ! » La traduction la plus parfaite que je connaisse est peut-être celle d'un poème de ce même livre consacré au monstre putatif, le Jabberwocky…

Twas brillig and the slithy toves
Did gyre and gimble in the wabe,
All mimsy were the borogroves
And the mome raths outgrabe

Voici pour l'original. La traduction d'Henri Parisot capte pour une fois le sens de l'original à 100 %, tout simplement parce qu'il n'y en a point…

Il était grilheure. Les slictueux toves.
Gyraient sur l'alloinde et vriblaient.
Tout flivoreux allaient les borogoves.
Les verchons fourgus bourniflaient.

Nicole, l'interprète franco-américaine que nous avons déjà rencontrée, raconte un séjour à Shanghai. « Je me suis arrêtée devant un magasin où un vieillard faisait quelque chose que je ne comprenais pas avec des baguettes. J'ai éclaté de rire. Une passante m'a regardée, nous a regardés, lui et moi, puis a éclaté de rire elle aussi, saisissant à la fois mon incompréhension et mon hilarité. Le vieillard m'a fait un clin d'œil. À ce moment-là nous avons partagé *a communion of sorts*, conclut Nicole, une "sorte" de communion parfaite. »

De la futilité et de l'exaltation

On estime à environ 6 900 le nombre de langues parlées actuellement sur notre planète, dont onze qui sont parlées par plus de la moitié de sa population : le mandarin, l'espagnol, le français, l'hindi, le bengali, le portugais, l'allemand, le russe, le japonais, l'arabe et l'anglais. Personne ne sait compter toutes les langues. La raison en est simple : parfois leurs frontières sont aussi floues que celles entre les concepts.

Il serait politiquement très incorrect de dire que le français et le québécois sont deux langues différentes, même si TV5 sous-titre toutes ses émissions comiques en provenance de Montréal. Je ne comprends pas certains Écossais lorsqu'ils parlent anglais. S'agit-il pour autant d'une langue étrangère ? Les Norvégiens pensaient parler danois avec un accent jusqu'à leur indépendance en 1814, date à laquelle l'on décréta que la langue nationale devrait plutôt s'appeler le « norvégien ». Ne devrait-on pas les mettre ensemble avec le suédois et dire tout simplement que les gens dans ce coin du monde parlent tous « scandinave » ? Pareil avec le serbo-croate avant la mort de Tito. Il y a des centaines d'exemples similaires à travers le monde, ce qui rend le décompte linguistique si futile.

Les langues sont en perpétuel mouvement. Elles suivent les tendances au gré de nos modes et de nos humeurs. On peut parfois regretter ce que l'on perd sur le chemin. J'ai appris en écrivant ce livre par exemple qu'il y a quelques siècles en anglais on appelait un troupeau d'alouettes *an exaltation of larks* ou qu'on avait même un nom collectif pour des maris qui se retrouvent entre eux sans leurs épouses : *a futility of husbands* !

Une langue meurt toutes les deux semaines. Seules 600 d'entre elles sont parlées par plus de 100 000 personnes, et même cela ne suffit pas à garantir leur survie à long terme. 90 % des langues parlées dans le monde sont menacées d'extinction d'ici à la fin du siècle. Il faut parfois une volonté politique obstinée pour sauver une langue. Tel est le cas notamment du catalan, lequel fut longtemps interdit par Franco. Depuis dix ans les panneaux routiers de Barcelone ne sont plus en espagnol, mais uniquement dans la langue de la Catalunya. L'exemple le plus spectaculaire d'une langue phénix demeure néanmoins l'hébreu, mais à quel prix !

Entre Adam et Ève, il y eut d'abord un regard. Un regard qui n'a pas de nom, me direz-vous. Si, justement ! Il s'appelle le « mamihlapinatapai… »

266

Il s'agit d'un mot dans la langue yagan. Ce mot trouve sa place même dans le *Livre Guiness des Records* comme le mot le plus succinct du monde. Il est composé de plusieurs éléments : le démarqueur du passif, « mam », la racine « ihlapi » qui signifie qu'on ne sait pas trop ce qu'on doit faire par la suite. Viennent s'ajouter plusieurs suffixes désignant le fait d'agir, ainsi que la particule « apai » laquelle, seulement lorsqu'elle se trouve dans le même mot que « mam », renforce l'idée de la réciprocité. Dans le genre « mot unique », on ne fait pas mieux.

Le yagan est une langue totalement isolée, sans aucun repère ni lien de parenté avec d'autres langues du monde. Elle est parlée sur l'île de Terre Feu au large du Chili. Il reste une seule autochtone, Cristina Calderon, une habitante du village d'Ukika.

Cristina, octogénaire, vit toujours, au moment où j'écris ces lignes. Lorsqu'elle disparaîtra, la langue yagan, avec sa vision si particulière de notre monde, n'existera plus. Cette disparition ne passera pas complètement inaperçue. Quelque part dans l'éther, un craquement de statique trahit un bruissement d'ailes. Comme chaque fois qu'une voix se tait ou que les hommes n'ont plus rien à se dire, et vous êtes les seuls à en être conscients, d'étranges entités arrivent pour faire ce qu'elles font toujours dans ces cas-là… : passer.

Cet ouvrage a été composé par Facompo
et achevé d'imprimer en août 2010
sur Roto-Page
par l'Imprimerie Floch
à Mayenne
pour le compte des éditions Lattès

N° d'édition : 06 – N° d'impression : 77431
Dépôt légal : août 2010
Imprimé en France